<그리스도인이면 꼭 알아야 할 성경 지식>

창세기

제1권

창조와 인간의 타락(1-5장)

서울솔로몬학교 성경연수원

차 례

이 책에 인용된 성경 구절은 〈한글킹제임스성경〉입니다.

서 론
창세기는 “시작의 책”이다

『태초에 하나님께서 하늘과 땅을 창
조하셨느니라』(창 1:1).

"시작의 책" 창세기

"창세기"는 B.C. 1700-1500년경 모세가 성령의 영감을 받아 기록한 책으로서 모세의 "첫 번째 책"이다. 창세기, 출애굽기, 레위기, 민수기, 신명기, 이상 다섯 권의 책을 "모세오경"이라 부르며 히브리어로는 "토라"(율법)라고 한다. 창세기에서는 B.C. 4004년에서 B.C. 1689년까지 무려 2,315년의 기간에 일어났던 사건들을 다루고 있다.

"창세기"(Genesis)라는 말은 "시작"(the beginning)을 의미하는데, 이 책에서는 하늘과 땅이 시작되고, 식물과 동물, 인간과 성, 죄와 구속, 인종, 종교, 문명, 결혼, 언약들, 시간과 공간 및 인류의 역사 등이 시작된다. <u>즉 이러한 모든 것들의 기원을 다루고 있는 책이 바로 "창세기"인 것이다</u>.

창세기에 등장하는 주요 인물로는, 아담, 이브, 카인, 아벨, 에녹, 노아, 롯, 아브라함, 이삭, 이스마엘, 에서, 야곱, 요셉, 유다 등이 있으며, 특히 아브라함부터 시작해서 이삭, 야곱, 요셉까지 이어지는 내용이 창세기 12장부터 마지막 장인 50장까지 펼쳐지는데, 이는 창세기 전체 내용 중에서 약 80%에 해당하는 분량이다.

<u>신구약 성경에 나오는 모든 주요 교리는 창세기의 처음 열두 개의 장에서 대부분 발견된다</u>. 그러니까 창세기는 역사적인 흐름의 첫 부분이기도 하지만 신구약 성경 전체의 서론에 해당하는 책인 것이다.

창세기의 "첫 구절"

창세기의 첫 번째 구절은 이렇게 시작한다. 『**태초에 하나님께서 하늘과 땅을 창조하셨느니라**』(창 1:1).

1. 성경은 단순한 종교 서적이 아니라 "역사책"이다.

➠ 성경의 첫 번째 구절은 "역사의 시작"을 선포하고 있다.

성경은 "하나님의 존재"를 애써 증명해 보이려 하면서 시작하지 않고, 오히려 "하나님의 살아 계심"을 당연한 사실로 여기면서(시 14:1; 53:1) 시작하고 있다.

2. 성경의 첫 번째 구절은 인류가 내세우는 주요 6대 철학과 종교를 분쇄한다.

1) "무신론"(Atheism)을 배격한다.

➠ 『**하나님께서**』(1절), 이 표현은 "하나님께서 존재하고 계심"을 선언하고 있다.

2) "다신론"(Polytheism)을 배격한다.

➠ 『**하나님께서**』(1절), 이 "단수"의 표현은 만물을 창조하신 "한 분 하나님" 외에는 다른 하나님이 없음을 보여 준다(사 44:6,8).

3) "**진화론**"(Evolutionism)을 배격한다.

➠ 『**창조하셨느니라**』(1절), 이 말씀은 온 우주 만물이 우연히 생성되어 진화되지 않고, 인격을 가지신 분에 의하여 어떤 특정한 목적 속에서 창조되었음을 보여 준다.

4) "**범신론**"(Pantheism)을 배격한다.

➠ 『**하나님께서 하늘과**』(1절), 이 구절은 "하나님"과 "하늘"을 명확하게 구분함으로써 하나님과 전 우주를 동일시하는 종교적이고 철학적인 사상 체계를 분쇄한다.

5) "**유물론**"(Materialism)을 배격한다.

➠ 『**태초에**』(1절), 이 단어는 영원하신 하나님께서 시간도 창조하셨음을 보여 줌으로써 그 "끝"도 있다는 사실을 선포할 뿐만 아니라 "물질의 영원성"을 믿는 유물론자들의 반론을 배격한다.

6) "**숙명론**"(Fatalism)을 배격한다.

➠ 『**태초에 하나님께서**』(1절), 이 구절은 시간과 우주라는 사공간 안으로 초자연적인 능력이 개입되었음을 명백하게 보여 주고 있다.

성경의 "첫 번째 구절"을 통해 분명히 알 수 있는 것은, 어떤 철학이나 과학, 사상, 이론 등도 이 구절의 위대한 선포 앞에 입을 다물 수밖에 없다는 사실이다. 그래서 성경은 『주의 말씀은 처음부터 참되며』(시 119:160)라고 말씀하고, 『**하나님은 참되시나 사람은 모두 거짓말쟁이라.**』(롬 3:4)라고 말씀한다. 하나님의 말씀을 신뢰할 것인가 아닌가,

혹은 어느 편에 자신의 인생을 걸 것인가에 관한 문제는 개인의 자유이다. 그러나 누가 믿지 않았다고 해서 하나님의 살아 계심과 위대한 역사와 선포가 사라지는 것은 아니다. 오히려 믿지 않는 자들만 손해를 보게 된다!

창세기의 구조

창조 1:1	심판 1:2	재창조 1:3-2:7	무죄시대 2:8-3:5	양심시대 3:6-8:19	인간정부시대 8:20-11:32	약속(족장)시대 12:1-50:26
			에덴의 언약	아담의 언약	노아의 언약	아브라함의 언약
			아담과 이브 인류와 결혼 죄와 죽음	카인과 아벨 에녹과 노아 문명의 시작	셈, 함, 야펫 통합과 반역 언어의 기원	아브라함 / 이삭 / 야곱 / 요셉
			인류의 타락	노아의 홍수	바벨탑 사건	이집트로 내려감

〈창세기의 구조 : 아담부터 요셉까지〉

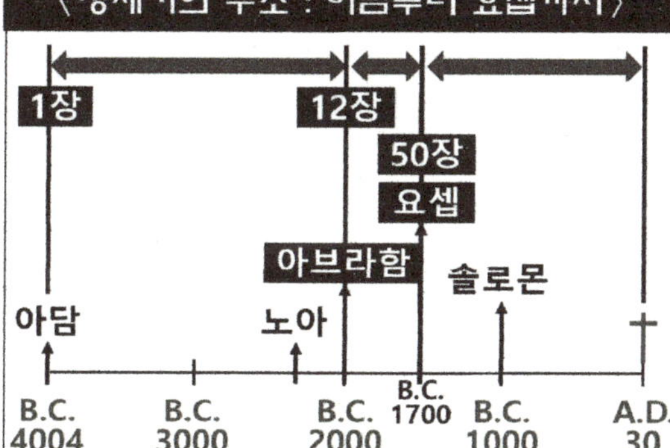

일곱 개의 중요한 "짝"

➡ **창세기에 나오는 인물 중에는 일곱 개의 중요한 "짝"이 있다.**

① 아담과 이브 ② 카인과 아벨 ③ 에녹과 노아 ④ 아브라함과 멜키세덱
⑤ 이삭과 이스마엘 ⑥ 야곱과 에서 ⑦ 요셉과 베냐민

일곱 명의 "거룩한 사람들"과 멜키세덱

➡ ① 아벨 ② 에녹 ③ 노아 ④ 아브라함 ⑤ 이삭 ⑥ 야곱 ⑦ 요셉
[⑧ 멜키세덱]

■ 새롭게 깨달았거나 적용할 내용이 있다면 적어 보세요. ■

제1과

성경이 말씀하는 우주의 구조 (1:1-19)

『하나님께서 말씀하시기를 "물들 가운데 창공이 있으라. 창공으로 물들에서 물들을 나누게 하라." 하시니라』(창 1:6).

우주는 어떻게 생겼을까?

창세기에는 "셀 수 없이 많은" 세 가지 물질이 나오는데, "땅의 티끌"(창 13:16)과 "바다의 모래"(창 32:12)와 "하늘의 별들"(창 15:5)이다. 특히 광활한 우주에는 별들이 셀 수 없을 만큼 많이 있다. 오늘날 과학자들이 천체망원경과 적외선 촬영기법 등을 동원해서 우주에 있는 별들의 수를 추산했는데, 그 수가 약 10^{22}개에 이른다고 한다. 이 수는 일평생 헤아려도 다 셀 수 없는 수이다. 그러나 위대하신 하나님께서는 그 수를 헤아리실 뿐만 아니라 이름들까지도 지으셨다(시 147:4). **『우리의 주는 위대하시며 큰 능력을 지니셨고 그의 명철은 무한하시도다』**(시 147:5).

그렇다면 셀 수 없는 별들을 담고 있는 우주는 어떤 모습일까? 고대 인도인들은 반구 모양의 지구를 큰 거북의 등 위에 서 있는 코끼리들이 떠받치고 있다고 생각했다. 고대 이집트인들은 우주의 네 모서리에 큰 산으로 된 기둥 네 개가 하늘을 떠받치고 있으며 그 안에 천체를 담고 있다고 생각했다. 사실 별들의 수도 정확하게 헤아릴 수 없는 인간이 광활한 우주의 모습을 그릴 수 있다고 생각하는 것 자체가 불가능한 일이다. 우주의 모양에 대한 정확한 정보는 그것을 만드셨고 우주의 가장 높은 곳에서 내려다보시는 하나님만이 알려 주실 수 있다.

최초의 창조(1절)

『태초에 하나님께서 하늘과 땅을 창조하셨느니라』(1절).

➡ 전능하신 하나님께서는 우주를 창조하실 때, **"무에서 유를 만들어 내시는 완벽한 창조"**를 하셨다. 이 창조의 세계가 얼마나 아름다웠는지는 우리가 구체적으로 알 수 없다. 하나님께서 우리에게 말씀해 주시지 않기 때문이다. 욥기와 에스겔서에서만 짧게 언급하실 뿐이다.

심판과 혼돈(2절)

『땅은 형체가 없고 공허하며 어두움이 깊음의 표면에 있으며 하나님의 영은 물들의 표면에서 거니시더라』(2절).

1. 심판의 원인

➡ **하나님의 피조물로서 하나님의 보좌를 "덮는 그룹"이었던 "루시퍼"(사탄)가 타락했기 때문인데**, 즉 교만해진 그가 반역함으로써 그의 보좌를 하나님의 보좌보다 더 높이려고 하는 죄를 지었던 것이다(사 14:12-15, 겔 28:11-19).

2. 심판의 범위와 방법

➡ "우주 전체"(하늘과 땅 모두)가 심판을 받아 "물"에 잠겼다(2절). **『이는 그들이 이것을 고의로 잊으려 함이라. 즉 하나님의 말씀에 의해 하늘들이 옛적부터 있었다는 것과, 땅도 물에서 나왔고 물 안에 있었다는 것이니 이로써 이전에 있던 세상은 물이 범람해서 멸망하였느니라』**(벧후 3:5,6 - "노아의 홍수"에 대한 언급이 아님).

"깊음"(the deep, 2절)은 어떤 공간을 의미하는 것이 아니다. 그것은 우주 자체를 담고 있는 일종의 "거대한 용기"로서, 현재도 태양계와 은하계 저 너머로 옮겨져 존재하고 있는 "거대한 물층"이다. 그 물은 "표면"이 절대 영도로 얼어 있어서 "유리 바다"(계 4:6; 15:2)로도 묘사된다.

재창조 : 첫째 날부터 넷째 날까지(3-19절)

➡ **하나님께서는 "하나님의 말씀"으로 만물을 창조하셨다.**

『믿음으로 우리는 세상들이 하나님의 말씀으로 지어진 것을 깨닫나니 보이는 것들은 나타나는 것들로 된 것이 아니니라』(히 11:3). 『태초에 말씀이 계셨고... 그 말씀은 하나님이셨느니라... 만물은 그에 의하여 지은 바 되었으며, 이미 지음받은 것 가운데 그가 없이 지어진 것은 아무것도 없더라』(요 1:1-3).

1. 첫째 날 - "빛과 어두움"(3-5절)

1) 첫째 날에 창조된 "빛"은 태양 빛(햇빛)이 아니라 "우주적인 빛"이다(시 74:16). 하나님께서는 이 절대적인 빛을 우주라는 공간으로 들어오게 하셨다.[1)]

2) 어두움(2절) 가운데로 들어온 빛을 어두움에서 나누신 이후(4절), "빛"을 『낮』(Day)이라 부르시고 "어두움"을 『밤』(Night)이라고 부르셨다(5절).

3) 『**저녁과 아침이 되니 첫째 날이더라**』(5절). 이것은 문자적인 "하루 24시간"을 의미하며, 순서로 보면 저녁이 먼저이고 아침이 그다음이다. 이는 예표적으로 예수님의 "죽으심"이 먼저이고, "부활의 아침"이 그다음임을 보여 준다. 또한 십자가에서 죽으시기 위해 오신 "초림"이 먼저이고, "재림의 아침"이 그다음임을 보여 준다.

2. 둘째 날 - "창공 : 물들과 물들을 나누심"(6-8절)

1) 이미 존재하고 있는 "물들" 사이로 "창공"을 만드셔서(6절) 창공 "위에 있는 물들"과 창공 "아래에 있는 물들"로 나누셨다(7절).

2) 물들 가운데 나타난 "창공"은 해와 달과 별들과 은하계를 담고 있는 거대한 "우주 공간"(space)이다.

---

1) 천문학자들은 빛나지 않는 "베이(Bay) 성운"의 북쪽을 조사해 본 후, 하늘에 커다란 구멍으로 된 틈이 있고, 이 틈을 통해 너무나 밝은 빛이 들어와서 우리의 태양 같은 별은 커튼에 붙어 있는 파리똥 정도로 비친다는 사실을 발견해 냈다.

3) "둘째 날"에만 "하나님께서 보시니 좋았더라."라는 표현이 없는데, 이는 그 날에 창조된 "창공," 곧 "둘째 하늘"이 사탄과 그의 수하들이 활동하는 주요 무대가 될 것이기 때문이다(엡 2:2; 6:12).

✍ 성경은 "깊음"(the deep, 하늘 위에 있는 물들)에 관하여 무엇이라고 말씀하는가?

1. 이 물은 "바다"이고, 사탄(리비야단)은 이 "물 안"에 살고 있다(욥 41:31,32).
2. 만왕의 왕이신 주 예수 그리스도께서는 이 "바다"를 통해 재림하신다(합 3:8-10, 삼하 22:8-17).
3. 그리스도인은 휴거 때 이 "물"을 통과하여 위로 올라간다.
4. 이것은 출애굽기에서 홍해 "바다"를 통해 예표되었다(출 12-15장).
5. 이 "바다"는 원래 무색이었지만, 지금은 예수 그리스도의 피로 인해 붉은색이 되었다(히 8:2,5; 9:7-10,12,20-22,24). 영원한 피 흘림을 포함하고 있는 우주적인 거래를 통해 붉게 염색된 것이다(행 20:28, 히 9:14).
6. 이 "물"은 표면이 절대 영도로 얼어 있어서 "유리 바다"로 불리며 그 표면 위에는 하나님의 보좌가 있다(욥 26:7-13; 38:30).
7. 이 세상이 "바다"를 통해 하나님으로부터 분리되어 있다는 사실은, 모든 죄인이 "하나님의 진노 아래" 놓여 있다는 사실을 예표적으로 보여 준다(렘 5:22, 시 88:7; 18:16; 66:12; 69:14; 124:4).
8. 이 "물" 아래에 있는 인간들은 "물고기"로 비유된다(전 9:12, 합 1:14). 이로 인해 사역에 부르심을 받은 처음 네 제자는 "직업 어부들"이었다(마 4:19, 막 1:17).
9. 약 3,000년 동안 지구는 두 번에 걸쳐 실제로 "물"에 잠겼는데(창 1:2; 7:1-15), 이로써 태양계가 지리학적으로 태평양과 대서양을 합친 것보

다 최소한 1,000억 배가 넘는 물 아래 놓여 있다는 과학적 진실을 뒷받침해 주고 있다.

10. 이 "물들"과 관련된 진리는 자신들도 모르는 사이에 여러 사람을 통해서 찬송가에 보존되어 있다. "요단강의 폭풍 부는 강둑에 나는 서 있네," "나는 홀로 요단강 건너지 않으리," "너 대양의 물결이여 메아리치라," "요단 강가에 섰는데" 등.

3. 셋째 날 - "바다와 땅과 식물"(9-13절)

1) 하나님의 관심이 "우주"(6-8절)에서 "지구"로 향한다. 주님께서 하늘 아래의 물들을 한곳으로 모이게 하시자 "땅," 곧 "지구"의 모습이 드러났다(9절). 말하자면 "지구"는 이미 존재하고 있었으니, "최초의 창조" 때 이미 창조되었던 것이다(창 1:1).

2) 하나님께서는 그 모인 물들을 "바다들"로, 마른 곳을 "땅"이라 부르셨다(10절). 여기에서 바다들은 지상의 바다들이며, 둘째 날에서 보았던 창공 위에 있는 물들이 아니다.

3) 하나님께서는 이 땅의 모든 식물을 단 하루 만에 "종류대로" 창조하셨다(11,12절).

진화론자들은 진화의 증거로 "화석"을 제시한다. 그런데 식물의 화석 중에서 진화론자들을 매우 당혹하게 하는 식물이 있다. 바로 "은행나무"(Ginko)이다. 진화론자들은 은행

나무가 지금으로부터 약 6천 5백만 년 전인 중생대에 출현했다고 주장한다. 그런데도 그 오랜 세월을 거쳐 오면서 다른 종으로 진화하거나 멸종하지 않은 채 오늘날까지 그 모습 그대로 살아 있다는 것이 신기하다고 하면서 소위 "살아 있는 화석"(Living Fossil)이란 별칭을 붙였다. 그래서 학계에서는 은행나무가 식물학의 해결되지 않은 미스터리로 남아 있다. 그러나 은행나무만 다른 종으로 진화하지 않거나 멸종하지 않은 채 살아 있는 게 아니다. 플라타너스, 사사프러스, 풍나무 등 모든 식물이 과거나 지금이나 모두 그 모습 그대로 살아 있는 것이다. 물론 멸종된 식물이야 있겠지만 다른 종으로 진화한 식물은 단 한 가지도 없는 것이다. 왜냐하면 하나님의 말씀대로 모든 식물이 "종류대로" 창조되었기 때문이다.

4. 넷째 날 - "광명들"(14-19절)

1) 하나님께서는 둘째 하늘, 곧 창공이라 불리는(6절) 우주 공간에 해와 달과 별들을 만드셨다(14절). "태양"은 "지구"(1절)나 "물"(2절)보다 늦게 창조되었고, 심지어 태양을 통해 광합성 작용을 하는 "식물"(11,12절)보다도 "하루" 늦게 창조되었다.

2) 광명들을 만드신 목적은 그것들이 "숭배받게" 하기 위함이 아니었고, "징조들과 계절들과 날들과 연도들"을 위해서였다(14절). 그래서 인간은 천체의 움직임을 통해 계절이나 날과 연도 체계를 잡고, 달력을 만들며, 때로는 농사를 짓는 데 천문학을 활용한다.

3) 하나님께서는 셀 수 없을 만큼 많은 별들을 단 하루 만에 창조하셨다(16절).

4) **하나님께서는 태양으로 낮을 주관하게 하시고, 달로 하여금 밤을 주관하게 하셨다**(16절). **이것은 "하나님의 경륜"과 관련된 위대한 진리들을 예표적으로 보여 준다.**

(1) 하나님께서는 "일곱"으로 일하신다(레 23,25장).

(2) 현재의 지구는 7천 년 동안 존재할 것인데, "마지막 천 년"은 안식의 기간이다(계 20:1-6, cf. 벧후 3:8).

(3) "태양"은 "예수 그리스도"의 예표이고(시 19:5,6, 말 4:2), "달"은 그리스도의 몸인 "교회"의 예표이다(솔 6:10).

(4) 태양이 지고 뜰 때 붉게 물드는 현상은, 각각 예수 그리스도께서 "초림" 때 갈보리 십자가에서 피를 흘려 죽으신 것과, "재림" 때 이방인들을 짓밟으셔서 피에 적셔진 옷을 입고 오시는 것(사 63:1-3)을 보여 준다.

(5) 교회 시대는 "밤"으로 묘사되는데(살전 5:1-5) "달"로 묘사되는 교회가 이 어두운 시대에 빛을 비추고 있다. 다만 달은 스스로 빛을 내지 못하기에(욥 25:5), 예수 그리스도를 예표하는 태양 빛을 받아서 비추게 된다.

(6) 마지막 천 년의 기간은 천년왕국으로서 아침에 "의의 태양"이 떠오르는 모습으로 묘사되고 있다(말 4:1-3, 마 13:43).

■ 새롭게 깨달았거나 적용할 내용이 있다면 적어 보세요. ■

성경이 말씀하는 "우주의 구조"

1. 세 개의 하늘들

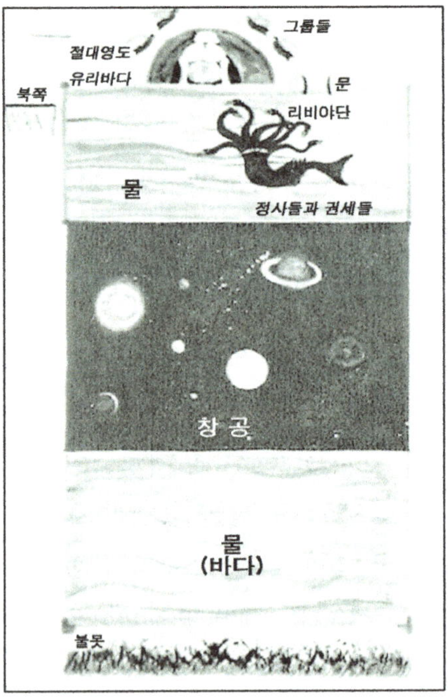

1) 하나님께서는 하늘에 "층들"을 지으셨는데(암 9:6), 그 층들은 모두 "세 개"로 구분된다.

➠ "노아의 방주"(창 6:16), "솔로몬 성전"(왕상 6:6), "천년왕국 성전"(겔 42:6)은 모두 "세 개의 층"으로 구분되어 있고, 하늘의 모형인 "성막"(히 8:1-5) 역시 "세 부분"(뜰, 성소, 지성소)으로 나뉘어 있다.

2) 하늘은 "세 부분"으로 구분되어 있는데(시 148편, 고후 12:2), 구름들이 떠다니고 새들과 비행기들이 날아다니는 "첫째 하늘"(대기권)과 해와 달과 별들이 떠 있는 "둘째 하늘"(창공)과 하나님의 보좌와 그룹들과 천사들이 있는 "셋째 하늘"로 나뉘는 것이다.

3) 둘째 하늘과 셋째 하늘 사이에는 "깊음"이라 불리는 거대한 "물 층"이 놓여 있다.

2. 우주의 모양

1) 머리가 나오는 꼭대기 부분에 구멍이 나 있는 "판초"(poncho) 같은 "**통옷 모양**"이다. 성경에서는 우주를 "**하나님의 옷**"으로 묘사하는데(시 104:2,6, 사 40:22), 하나님의 아들이신 예수 그리스도께서는 십자가에 달리시기 전에 위로부터 "**통으로 짠 속옷**"을 입고 계셨다(요 19:23). 그래서 우주는 "**옷**"으로 묘사된다(히 1:10-12).

2) 이 "통옷 모양"은 건축물로 볼 때 "**피라미드**"와 상응하는 모양이다. 왜냐하면 우주는 "**산의 모양**"과 연관되기 때문이다(사 14:13).

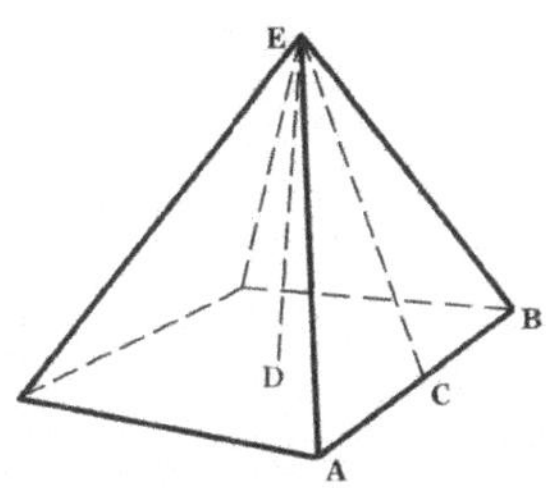

3) 옆면을 구성하는 네 개의 삼각형은 위 꼭짓점들이 모두 "위쪽"(E 지점)에서 만나는데, 이곳은 우주의 "북쪽"이다(우측 그림 참조). <u>우주의 북쪽에는 하나님의 보좌가 있다</u>. 『**이는 높이는 일이 동쪽에서나 서쪽에서나 남쪽에서 오는 것이 아니기 때문이라. 오직 하나님께서 재판장이시니 그가 한 사람은 낮추시고 다른 사람은 세우시는도다**』(시 75:6,7). 실제로 하나님께서는 우주의 빈자리에 "북쪽"을 펼치셨고, 그곳에 그분의 보좌를 세우셨으므로(욥 26:7,9) 하늘의 새 예루살렘도 바로 이 북쪽에 위치한다(시 48:2).

4) **모든 나침반의 바늘은 북쪽을 가리킨다**. 부활하신 예수 그리스도께서 승천하셨을 때 올라가신 방향은 "위쪽"(행 1:9)인 우주의 북쪽이었다. 구원받은 성도들 역시 우주에서 가장 높은 "위쪽"으로 갈 것이기에 그곳을 바

라보며 살아야 한다(골 3:1).

3. 우주의 경계

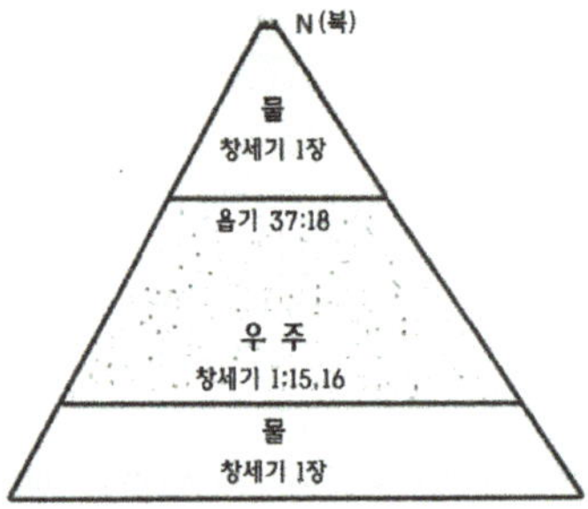

1) 광활한 우주는 무한히 뻗어 나가는 것 같지만 끝나는 곳이 있다. 즉 우주는 열려 있지(개방계) 않고 닫혀 있는(폐쇄계) 것이다. 그래서 폐쇄된 시스템 내에서 사용 가능한 에너지는 계속해서 줄어들고 있다("열역학 제2법칙" - "엔트로피 법칙"). 말하자면 우주는 망해 가고 있는 것이다. 외부에서 새로운 에너지가 공급되지 않는 한 희망이 없다. 그런데 그 우주를 열고 닫으시며 영원한 생명을 주실 수 있는 분은 오직 하나님 한 분뿐이시다.

2) 하나님께서는 "물들"로 우주가 끝나는 "경계"를 정해 놓으셨는데(욥 26:10), 재창조 때 "창공"(둘째 하늘)으로 나누신(창 1:6-8) 위에 있는 물들과 아래에 있는 물들이 그 경계이다. 그 물들은 "깊음"으로 불리고(창 1:2), 그 표면은 얼어 있다(욥 38:30). 절대 영도로 얼어 있기에 모든 분자의 활동과 시간이 정지된다. 즉 낮과 밤이 끝나는 곳으로서 성경은 이 장소를 "영원"(eternity)이라고 부른다(사 57:15).

■ 새롭게 깨달았거나 적용할 내용이 있다면 적어 보세요. ■

제1과
복습문제

1. 성경은 "하나님의 존재"를 입증해 보이면서 시작하는 책이다. 왜냐하면 그래야 믿지 않는 죄인들을 설득할 수 있기 때문이다. (O , X)

2. 창세기 1장에 의하면 우주는 태초에 "한 번"만 창조되었다. (O , X)

3. "지구"(땅)는 셋째 날에 창조되지 않았다. (O , X)

4. 『하나님께서 말씀하시기를 "물들 가운데 (　　　　)이 있으라. (　　　　)으로 물들에서 물들을 나누게 하라." 하시니라』(창 1:6).

5. 하나님께서는 일곱으로 일하시는 분으로서 하늘을 일곱 개의 층으로 구분하셨다. (O , X)

6. 하나님께서는 "물들"로 우주의 "경계"를 정해 놓으셨다. (O , X)

7. 『믿음으로 우리는 세상들이 하나님의 (　　　　)으로 지어진 것을 깨닫나니 보이는 것들은 나타나는 것들로 된 것이 아니니라』(히 11:3).

■ 복습 문제의 정답은 홈페이지(www.solomonbtc.org)에서 확인할 수 있습니다.

NOTES

NOTES

NOTES

제2과
생명의 기원
(1:20-25)

『하나님께서 말씀하시기를 "물들은 생명이 있는 동물들과 땅 위 하늘의 넓은 창공에 나는 새를 풍성히 내라." 하시며』(창 1:20).

어리석은 진화론자 다윈의 최후

사탄이 거짓말로 사람들을 속이기 위해 내세운 종 다윈은 이렇게 말했다. "모든 생물은 하나님의 손에 의해 특별하게 만들어진 것이 아니라, 캄브리아기 최초의 지층이 퇴적하기 훨씬 이전에 살고 있었던 몇 종의 생물들의 직계 자손이었다. 이런 생각을 가질 때면 적어도 내게는 모든 생물의 모습이 훨씬 더 고귀하게 비친다." 그런데 그의 눈에 비친 그 "고귀한 모습"은 죄로 인해 망가진 모습에 불과하다. 인간을 포함한 모든 생물의 현재 모습은 최초 "가장 고귀하고 보기 좋은 모습"(12,21,25절)에서 죄로 인해 심각하게 망가진 모습이지, 가장 망가진 상태에서 점점 좋아지고 있는 게 아니다. 『**사람이 존귀에 처해 있어도 깨닫지 못하면 멸망하는 짐승들과 같도다**』(시 49:20).

굳이 원숭이의 후예들이 되고 싶다면 그렇게 하라! 멸망하는 짐승들처럼 살다가, 결국 지옥의 불길 속에서 가장 고귀한 생물로 "진화한"(?) 모습, 곧 "벌레"(붉은 구더기)가 된 자신의 모습을 보게 될 것이다(막 9:44-48). 다윈은 종종 그의 사적인 편지에서 "사실 나의 이론에는 증거가 없고, 오히려 그것이 인류의 도덕성을 파괴할 수 있음을 안다."라고 자주 언급했다(찰스 다윈, 〈종의 기원〉, 1860, p.178; Harvard Classics, 1909 ed., Vol. 11). 그의 예견대로 많은 이들을 파멸로 이끈 "사탄의 종" 다윈은 그의 행위대로 종말을 맞이했는데(고후 11:15), 만성적인 행동 불능 증상과 떨칠 수 없는 우울증으로 생을 마감한 뒤 지옥으로 떨어진 것이다.

재창조 : 다섯째 날부터 여섯째 날까지(20-25절)

1. 다섯째 날 - "물고기와 새들"(20-23절)

1) **하나님의 관심이 "우주"(14-19절)에서 다시 지구로 향한다**. 주님께서는 지구상의 물들에서 큰 고래들을 포함하여 "생명"이 있는 모든 동물을 "종류대로" 창조하셨다(20,21절).

〈첫째 날〉 빛과 어두움	〈넷째 날〉 광명들
〈둘째 날〉 창공, 물들과 물들을 나눔	〈다섯째 날〉 물고기와 새들
〈셋째 날〉 바다와 땅과 식물	〈여섯째 날〉 땅의 짐승과 사람
〈일곱째 날〉 안식하심	

(1) **성경에서 처음으로 "생명"(life)이라는 단어가 등장하고 있다**(20절). 육체를 지닌 동물과 관련하여 최초의 "생명"이 물로부터 나왔는데, 이로 인해 **물은 첫 번째 출생, 곧 "육신적인 출생"을 의미하게 된다**(cf. 요 3:3-6, 욥 38:8).

(2) **넷째 날이 지나고 다섯째 날에 생명이 나왔다는 것은**, 예표적으로 참 생명이신(요일 5:12, 요 3:36, 롬 6:23) 예수 그리스도께서 7천 년의 인류 역사 속에서 네 번째 천 년이 끝나고 다섯 번째 천 년이 시작될 무렵에 나타나셨음을 보여 준다.

2) 하나님께서는 첫째 하늘의 넓은 창공에 날아다니는 새를 "**종류대로**" 창조하셨다(20,21절).

(1) 성경에서 "종류대로"라는 표현은 창세기에서만 여덟 구절에서 총 18회 등장하고(창 1:11,12,21,24,25; 6:20; 7:14; 8:19), 천년왕국과 관련하

여 에스겔 47:10에서 한 번 더 등장한다.

(2) "종류대로"(after his kind)에서 "종류"(kind)는 "종"(species)이 아니라 "과"(family)를 의미한다(고양잇과, 갯과 등).

3) 물고기들과 새들이 "같은 날"에 창조되었는데, 실제로 둘 사이에는 몇 가지 공통점이 있다. ① 새끼를 낳는 대신에 알을 낳는다(고래는 예외). ② 새끼에게 젖을 먹여 기르지 않는다. ③ 매년 수천 마일씩 이동하는 습관이 있다. ④ 이동할 때는 둘 다 꼬리를 사용한다.

4) 하나님께서는 물고기들과 새들에게 복을 주시면서 "다산하고 번성하며 충만하라."라고 명령하셨다(22절).

2. 여섯째 날 - "땅의 짐승"(24,25절)

➠ 하나님께서는 땅의 모든 짐승을 "<u>종류대로</u>" 창조하셨다(24,25절).

<u>자연을 그대로 내버려 두면 생물들은 항상 "종류대로" 번식하게 되어 있다</u>. 자연과 우주에는 정해진 법칙 체계가 있다. 이런 것은 음악이나 미술 등에도 고스란히 반영된다. 그러나 이러한 법칙과 질서를 파괴하는 일이 종종 벌어지고 있으니, 곧 타락한 인간에 의해 이루어지는 것이다.

■ 새롭게 깨달았거나 적용할 내용이 있다면 적어 보세요. ■

생명의 기원

1981년 시카고 자연사박물관에서 열린 한 "진화론 회의"에서 영국의 저명한 고생물학자 콜린 페터슨은 다음과 같이 고백했다. "나는 20년 이상 진화론을 연구했으나... 무엇 하나 제대로 알 수 없었다는 사실을 깨닫고 놀라게 되었다. 20여 년을 허비한 셈이다. 수 주 동안 여러 학자에게 '진화론에 대해 무엇을 알고 있으며, 진화의 증거를 하나라도 대 보라.'라고 요청했으나 그들 모두 침묵뿐이었다... 여기 계신 여러분들 역시 조금이라도 진화론에 대해 생각(공감)해 본 적이 있다면, 그것은 지식이 아닌 신앙으로서 공감했을 것이다. 나도 예외는 아니다. 진화론은 과학적 사실이 아니며 오히려 그와 정반대인 것 같다."

1. 생명은 "생명"으로부터 나온다.

1) **"생물이 무기물로부터 자연적으로 우연히 발생했다."(자연발생설)라는 진화론자들의 주장은 터무니없는 거짓말이다.**

2) **19세기 후반 프랑스의 미생물학자 파스퇴르(1822-1895)가 했던 "S자형 플라스크 실험"은 "자연발생설"이 허구임을 "과학적으로" 증명하였다.**

3) **모든 생명을 낳은 원천은 주 하나님이시다.** **『이는 생명의 원천이 주와 함께 있으며 주의 빛 가운데서 우리가 빛을 볼 것임이니이다』**(시 36:9). 모든 생명은 "생명이신 주님"(요 14:6)으로부터 비롯된다(창 1:20; 2:7).

4) 생명의 원천이신 하나님만이 "**무[2]에서 유를 생성**"하시고 "없는 것들 가운데서 있는 것처럼" 부르실 수 있다(롬 4:17, 히 11:3).

5) 생명의 원천이신 하나님께서는 능력의 말씀으로 우주의 모든 만물을 붙들고 계시고(히 1:3, 벧후 3:7), 그 동일한 말씀으로 모든 만물을 불태워 버리실 수 있으며(벧후 3:10-12), 또한 그 능력의 말씀으로 다시 새로운 하늘들과 땅을 창조하실 수 있다(벧후 3:13).

2. 생명은 생명의 원천이신 하나님의 "목적과 의도" 속에서 만들어졌다.

상식적으로 판단해도 진화론을 믿는 것보다는 창조의 증거를 믿는 편이 훨씬 더 쉽다. 왜냐하면 창조의 증거들이 곳곳에 널려 있기 때문이다. 마이클 페러데이(1791-1867)는 이렇게 말했다. "우리가 읽어야 하는 자연의 책은 하나님의 손가락으로 기록되어 있다." 그러니까 그에게 있어서 자연의 신비를 푸는 일은 하나님의 모습을 발견하는 일이었던 것이다.

1) **하나님께서는 인간의 양심에 "하나님의 존재"는 물론 "창조의 증거"를 기록해 두셨다**(cf. 행 17:27). 하나님의 창조를 믿기 위해 대단한 지식이 필요한 것이 아니다. 대단한 믿음도 필요치 않다. 순수한 양심의 소리에 반

---

2) 모든 물질은 기본 단위인 "원자"로 구성되어 있는데, 그 내부 구조를 들여다보면 중심에 핵이 있고 전자들이 핵 주위를 돌고 있다. 하지만 핵과 전자가 차지하는 공간 비중은 극히 미미하며 공간 대부분이 비어 있다. 그뿐만 아니라 핵 자체도 소립자들로 이루어진 거의 텅 빈 구조를 하고 있다. 이런 텅 비어 있는 구조를 가진 원자들이 모여서 우리의 몸이나 세상에 있는 모든 물질을 구성하고 있는 것이다. 그래서 원자 내부의 텅 빈 곳을 모두 제거하고 전자들과 소립자들만 모으게 되면, 우리 눈에 보이는 이 인간의 몸은 아주 작은 티끌만 한 크기가 된다. 없는 것이나 다름없는 존재가 되는 것이다(욥 10:9, 약 4:14, 시 8:4, 사 40:15,17).

응하여 약간의 상식만 발휘해도 충분히 깨달을 수 있는 문제이다.

2) **사람이든, 사물이든, 세상에 있는 그 어떤 것도 그것을 존재하게 만든 "원인"이 있다**. 일례로 우리가 사는 "집"은 근처에 있는 산 어디에선가 돌들이 날아와 저절로 지어지지 않았다. 분명한 원인 제공자가 있는 것이다. 식물과 동물, 산과 바다, 땅과 하늘, 광활한 우주와 수많은 별들 역시 마찬가지이다. 『**어떤 집이든 누군가가 지었으나 만물을 지으신 분은 하나님이시니라**』(히 3:4). **즉 만물을 지으신 하나님께서 말씀으로 명령하셨을 때 세상은 존재하게 된 것이다**.

1687년 만유인력의 원리를 처음으로 세상에 널리 알린 것으로 유명한 〈프린키피아, Principia〉에서 뉴턴은 다음과 같이 쓰고 있다. "천체는 태양, 행성, 혜성 등으로 매우 아름답게 이루어져 있는데, 이것은 지성을 갖춘 강력한 통치자의 의도와 통일적 제어가 있기에 존재하게 된 것이라고 말할 수밖에 없다. 지극히 높으신 하나님께서는 영원, 무궁, 완전하신 분이다."

3) 모든 것에는 그것이 만들어진 목적이 있다. 책이든, 시계이든, 집이든, 어떤 것이라도 우연히 만들어진 것은 없다. 누군가가 특별한 목적을 가지고 만든 것이다. **목적이 있다는 것은 그것을 만든 "지능을 가진 절대적인 존재"가 있음을 말해 준다**.

■ 새롭게 깨달았거나 적용할 내용이 있다면 적어 보세요. ■

『하늘들이 하나님의 영광을 선포하고 창공이 그의 손으로 하신 일을 나타내는도다. 낮은 낮에게 말하고 밤은 밤에게 지식을 보여 주니 말도 없고 언어도 없으며 그들의 음성도 들리지 않으나 그들의 선율은 온 땅을 질러 뻗어 나가고 그들의 말들은 세상의 끝까지 다다랐으니, 그가 그들 가운데 태양을 위하여 장막을 세우셨도다』(시 19:1-4).

갈릴레오 갈릴레이 이래로 사람들이 망원경으로 하늘의 별들을 관측하기 시작한 지 400년이 되었지만 아무도 그 우주가 끝나는 곳을 발견하지 못했다. 그러나 성경은 낮과 밤이 끝나는 곳이 있다고 말씀한다. 그리고 그 경계는 물들로 둘려 있다(욥 26:10). 사실 우주의 끝만 모르는 게 아니다. 1930년대 후반까지만 해도 모든 물질의 최소 단위는 원자라고 알고 있었지만, 1950년대 이후로는 소립자 연구까지 활발히 진행되면서 물질의 근본이 무엇인지를 여전히 완전하게 규명하지 못하는 것이다. 물질의 작은 단위에서부터 광활한 우주에 이르기까지 인간이 알 수 있는 것은 극히 일부분이다. 따라서 지식이 없는 말로 이치를 어둡게 하려는 어리석은 시도는 이쯤에서 그만두어야 할 것이다!

■ 새롭게 깨달았거나 적용할 내용이 있다면 적어 보세요. ■

제2과
복습문제

1. 하나님께서 다섯째 날과 여섯째 날에 모든 동물을 "종류대로" 창조하셨다고 했을 때 "종류"는 "종"(species)을 의미한다. (O , X)

2. 생명의 원천이신 하나님만이 "무에서 유를 생성"하시고, "없는 것들 가운데서 있는 것처럼" 부르실 수 있다(롬 4:17, 히 11:3). (O , X)

3. 생명은 (   )으로부터 나온다.

4. 『어떤 집이든 누군가가 지었으나 만물을 지으신 분은 (   )이시니라』(히 3:4).

5. 『이는 생명의 원천이 (   )와 함께 있으며 (   )의 빛 가운데서 우리가 빛을 볼 것임이니이다』(시 36:9).

6. 『하나님께서 말씀하시기를 "물들은 (   )이 있는 동물들과 땅 위 하늘의 넓은 창공에 나는 새를 풍성히 내라." 하시며』(창 1:20).

■ 복습 문제의 정답은 홈페이지(www.solomonbtc.org)에서 확인할 수 있습니다.

NOTES

NOTES

NOTES

제3과

원숭이는 인류의 조상이 아니다 (1:26-31)

『그리하여 하나님께서 자신의 형상대로 사람을 창조하셨으니, 곧 하나님의 형상대로 그를 창조하셨으며 그들을 남자와 여자로 창조하셨느니라』(창 1:27).

지상 최대의 사기꾼 집단인 진화론자들

세상에는 "거짓말"을 해야 먹고살 수 있는 여러 부류가 있는데 그 중 하나가 진화론자들이다. 진화가 틀렸다는 사실이 밝혀지면 성경과 창조주 하나님을 인정해야만 하기에, 이들은 수단과 방법을 가리지 않고 진화의 증거를 "조작"해 내려고 한다. 인간의 기원에 대해서도 땅속에서 발견한 몇 안 되는 뼛조각들을 짜깁기하여 "소설"을 써 내려간다. 여기에 진화론자들을 돕는 미술가들의 재능과 상상력이 더해지면 수많은 사람을 속이고도 남을 매우 그럴듯한 "원숭이 인간"(ape-man, 원인)이 만들어진다. 원숭이(유인원)와 인간 사이를 잇는 "중간 단계"의 뼈들을 찾고 싶은 마음이 너무도 간절했는지, 동물이나 인간의 뼈들로 확실하게 판정된 뼈들이 그들의 눈앞에서는 "원인"(猿人)의 뼈들로 "둔갑하고" 만다. 말하자면 진화론자들의 "맹목적인 미신"과 미술가들의 "상상력"이 만나 역사상 존재한 적이 없는 "원숭이 인간들"이 만들어지는 것이다.

■ 새롭게 깨달았거나 적용할 내용이 있다면 적어 보세요. ■

재창조 여섯째 날 - "사람"(26-31절)

1. 여섯째 날 - "사람"(26-31절)

➠ 하나님께서는 인간을 "**하나님의 형상**"대로 "**하나님의 모습**"을 따라 창조하셨다(26절).

1) 성경에서 "하나님의 형상"은 주 예수 그리스도이시며(고후 4:4, 골 1:15), 그분은 "하나님의 인격의 정확한 형상"이시다(히 1:3).

2) 인간은 외적인 모습(형태)에서도 하나님을 닮았다. 최초의 인간인 아담은 하나님의 형상대로 창조되었을 때, 그 형상이신 예수 그리스도처럼 33세 반의 남성으로 창조되었다. 그래서 예수 그리스도를 "마지막 아담"(고전 15장)이라고 부르는 것이다.

2. 인간은 "삼위일체"이신(요일 5:7) 하나님의 형상대로 "영, 혼, 몸"의 "삼중적인 존재"로 창조되었다.

1) "몸"(히브리어 - 바살, 헬라어 - 소마)

(1) 물리적인 개념으로서의 "몸"(육체) 자체를 의미하기도 하고, 죄성을 지닌 "옛 사람"의 개념으로 사용되기도 한다.

(2) 『**내가 주를 찬양하리니 이는 내가 놀랍고도 경이롭게 지어졌음이니이다. 주의 지으심이 기이함을 내 혼이 잘 아나이다**』(시 139:14). 인간의 육체는 "땅의 흙"으로 지음을 받았다(창 2:7). 그래서 죽으면 다

시 흙으로 돌아간다(창 3:19).

(3) <u>인간의 육체에는 오감(五感 - 시각, 청각, 후각, 촉각, 미각)이 있다</u>. 모든 감정이나 역량은 육체 안에서 혹은 육체를 통해 표현된다.

(4) 에덴동산에서 죄로 말미암아 타락한 인간은 그 이후로 죽을 운명을 가지고 태어나게 된다(히 9:27).

2) "<u>영</u>"(히브리어 - 루아흐, 헬라어 - 프뉴마)

(1) 영은 바람이나 공기로 비유된다(겔 37:9-14, 요 3:6-9).

(2) <u>하나님께서는 아담을 창조하실 때 "생명의 호흡"을 주셨다</u>. 이것이 바로 "영"인데, 영은 인간에게 하나님과 "<u>영교</u>"할 수 있도록, 곧 "하나님을 의식하게" 해 준다. 영은 몸이나 혼보다 한층 더 깊은 층에 속하며, 그 자체의 고차원적인 감각과 역량이 인간으로 하여금 하나님과 "<u>직관</u>"과 "<u>양심</u>"으로 관계를 맺는 것을 가능케 한다.

(3) 인간의 영은 아담이 타락하는 순간 죽어 버렸고(창 2:17), 그 이후로 태어나는 모든 인간은 영이 죽은 채로(엡 2:1,5) 태어난다. <u>이후 육신의 생명이 다하여 죽게 되면 그 영은 하나님께로 다시 돌아간다</u>(전 12:7).

(4) 그래서 예수 그리스도께서는 성령으로 거듭나야 한다고 말씀하셨으며(요 3:3-6), 그렇게 죽었던 영이 다시 살아날 때야 비로소 영으로 하나님과 교제할 수 있고, 또 하나님께 경배드릴 수 있다(요 4:24).

3) "<u>혼</u>"(히브리어 - 네페쉬, 헬라어 - 프쉬케)

(1) <u>혼은 "자아의식"이다</u>. 그것은 각 개인의 생명 또는 "지식, 감정, 의지"를 가진 그 사람의 "인격" 자체를 나타낸다.

(2) 혼은 몸과 영의 중간에 있고, 그 두 가지의 합성은 아니지만 때로는

이편이나 저편의 특성을 취한다. 혼은 두 세계, 즉 육체적인 세계나 영적인 세계와 합류할 수 있고, 서로 다른 두 편의 활동을 조정하는 역할을 한다. 말하자면 혼이 가장 낮은 육체를 가장 존귀한 영에게 복종하도록 하는 것이다.

혼은 "몸의 형태"(bodily shape)를 갖고 있어서 몸과 마찬가지로 입, 눈, 팔, 코, 입술, 이, 턱, 혀(눅 16장, 계 6장, 고후 12장) 등이 있다. 만일 누군가가 손이 잘려 나갔다 해도 수개월 동안은 손가락이 가렵거나 촉감이 오는 것을 느낄 수 있다. 의사들은 이것을 신경의 끝부분이라고 말하지만, 그런 말은 조금도 믿지 말라. 혼은 영과 몸 사이에 있는 몸의 형태인 것이다. 혼은 몸을 영에 복종하도록 하는 기관이다. 하나님께서 인간을 지으시고 그 안에 영을 두심으로써 성령님을 통해 인간 안에서 다스릴 수 있도록 하신 것이다. 인간의 영은 하나님과 교제하면서 성령님의 지시를 받아 몸과 혼을 다스린다.

십자가에서 죽으신 것은 예수 그리스도의 인간적인 혼이었다. 이사야 53:10에서는 『주께서 그의 혼을 속죄제물로 만드실 때』라고 말하고 있기 때문이다. 또한 히브리서 10:39에서는 『오히려 믿어 혼의 구원에까지 이르는 자들』이라고 말하고 있다. 구원받는 것은 혼이요, 거듭나는 것은 영이다. 이것을 혼동해서는 안 된다. 야고보서 1:21에서는 이렇게 말씀한다. 『너희 혼들을 구원할 수 있는, 심겨진 말씀을 온유함으로 받으라.』

3. "언어의 능력"(말하고 글을 쓰는 능력)에 있어서 하나님을 닮았다.

➡ 그래서 우리는 하나님과 교제할 수 있다. 동물에게는 말하고 글을 쓰는

능력이 없다. 하나님께서 인간에게 언어의 능력을 주신 일차적인 목적은 하나님과 교제하고 하나님을 찬양하도록 하시기 위해서이다. 그런데 타락한 인간은 이 능력을 다른 영역에서 잘못 사용하고 있다.

4. "영적인 존재"라는 측면에서 하나님을 닮았다.

➠ 인간은 짐승과 달리 영적인 존재이다. 영적인 필요가 충족되어야 비로소 행복을 느낄 수 있다. 인간과 짐승 간에는 인격적인 교제나 소통이 불가능하다. 인간과 짐승 간에는 무언가 건널 수 없는 엄청난 간격이 있는 것이다.

5. 하나님께서는 인간을 "남자와 여자"로 창조하셨다(27절).

➠ 진화론자들이 소위 "인간의 진화"와 관련해서 해결하지 못하는 문제들 중 대표적인 것이 "피"와 "성"의 문제이다. 피가 언제부터 어떻게 생겼고, 또 성이 언제부터 두 개의 성으로 나뉘게 되었는가에 대해 풀지 못하는 것이다. 하지만 성경을 믿으면 이 복잡한 문제가 간단히 해결된다. 곧 하나님께서 남자와 여자로 창조하신 것이다.

6. 하나님께서 아담에게 땅을 다스리라는 "왕권 명령"을 주셨다(28-31절, 에덴의 언약).

1) 다산하고 번성하라(28절).

2) 땅을 다시 채우라(28절).

➡ 첫 번째 창조 때(1절) 이 땅에는 영적인 존재들이 충만해 있었지만, 사탄의 반역과 타락으로 인해 하나님께서 온 우주를 물로 심판하셨고(2절) 이 땅은 텅 비게 되었다. 이제 하나님께서는 재창조 여섯째 날에 창조하신 아담에게 텅 빈 지구를 "다시 채우라"고 명령하시는 것이다.

3) 정복하고 다스리라(28절).

➡ 이것은 하나님께서 아담에게 "통치권," 곧 "왕권"을 주셨음을 보여 준다. 말하자면 "땅"은 하나님께서 인간에게 통치하라고 주신 영역인 것이다. 『**하늘, 곧 하늘들까지도 주의 것이나 그가 땅을 사람의 자손들에게 주셨도다**』(시 115:16).

4) 인간과 동물에게 "먹을 것"으로 채소와 나무의 열매만 허용하셨다(29,30절).

➡ "노아의 홍수"로 인한 기후 변화가 일어날 때까지는(창 9:3) 약 1,650년 동안 육식이 허용되지 않았다.

7. 저녁이 되고 아침이 되니 "여섯째 날"이더라(31절).

➡ 인간이 여섯째 날에 창조되었기 때문에 "6"은 "사람의 숫자"가 된다(cf. 계 13:18).

■ 새롭게 깨달았거나 적용할 내용이 있다면 적어 보세요. ■

원숭이는 인간의 조상이 아니다!

인류의 진화에 대해 진화론자들이 자주 사용하는 거짓말이 있는데, 그것은 진화를 객관적으로 입증할 만한 "충분한 증거들"이 있다는 것이다. 그런데 이들은 1859년 다윈의 〈종의 기원〉이 출간된 이래로 인류의 기원에 관해 여러 차례 의견을 수정해 왔고, 그때마다 충분한 "사실들"(facts)에 입각하여 주장하고 있다고 말했다. 그러나 그 증거들은 뼛조각들에 상상력을 입혀서 만든 "가상 모델들"에 불과하다. 이들은 이 상상도를 가능한 한 원시적인 모습에 가깝도록 그리려고 애를 쓴다. 또한 역사적으로 실제 존재했던 것처럼 보이기 위해, 오스트랄로피테쿠스, 호모하빌리스, 호모에렉투스, 호모사피엔스 등의 기억하기도 힘든 이름들과 이들이 활동했던 추정 연대를 뻔뻔스럽게 제시한다. 물론 이에 대한 충분한 근거는 없다. 『**하나님은 참되시나 사람은 모두 거짓말쟁이라**』(롬 3:4).

자바인 두개골의 허구

1) **1891년 외젠 뒤부아는 인도네시아 "자바섬"에서 진화의 증거를 찾아다니고 있었다**. 그는 이곳에서 발견한 뼈들을 기초로 그럴듯한 "자바인" 한 명을 만들어 냈다. 그런데 당시 발견된 뼈들은 몸 전체를 구성하는 뼈들 대부분이 아니었고, "두개골 일부," "허벅지 뼈," "어금니 하나," 이상 "세 개"뿐이었다. 더군다나 발견된 장소도 동일하지 않았고, 서로 약 15m 정도 떨어져 있었다. 발견된 시기도 그 간격이 각각 1년 이상이나 된다. 사실이 이러한데도 그

는 이 뼈들이 한 개체의 것이고, 시기도 백만 년 이상 된 것이라고 단정했다. 충분한 증거가 없었음에도 그러한 주장을 서슴지 않았던 것이다. 그에게서는 과학적인 사고조차 찾아볼 수 없다. 그런데 더 우스운 일은 뒤부아가 자신이 죽기 전에 이 뼈들이 "긴팔원숭이의 것"이라고 발표했던 것이다.

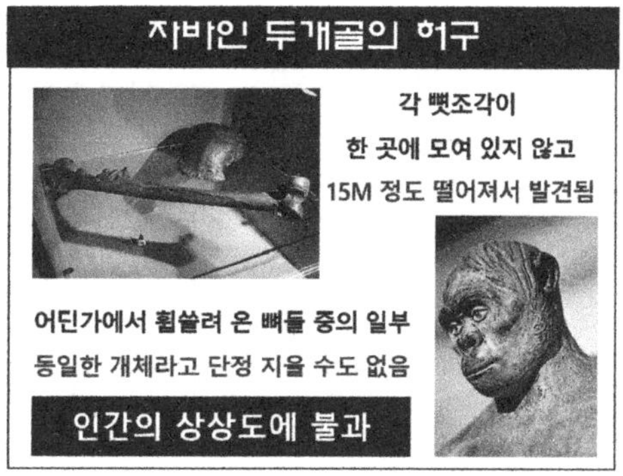

2) 1912년 영국 필트다운 부근의 자갈 채굴장에서 찰스 도손이 턱뼈 부스러기 몇 개와 몇 조각의 두개골을 발견했다. 이것이 당시 과학계를 떠들썩하게 했던 "필트다운인"이다. 이후로 40년 동안 과학자들은 이것을 인간 진화의 결정적인 증거물로 떠받들었다. 그러나 1953년에 이것이 누군가에 의해 조작된 사기극임이 드러났다. 즉 사람의 두개골과 침팬지의 이빨 및 턱뼈를 가져다가 화학약품을 처리하여 오래된 것처럼 보이게 하고, 줄로 잘 다듬어서 두개골과 턱뼈가 서로 잘 들어맞는 것처럼 조작한 뒤에 자갈 채굴장에 묻어 두었던 것이다. 누군가가 전문 사기꾼들인 진화론자들을 속인 것이다. 『**악한 사람들과 사기꾼들은 더욱 악해져서 속이기도 하고 속기도 하리라**』(딤후 3:13).

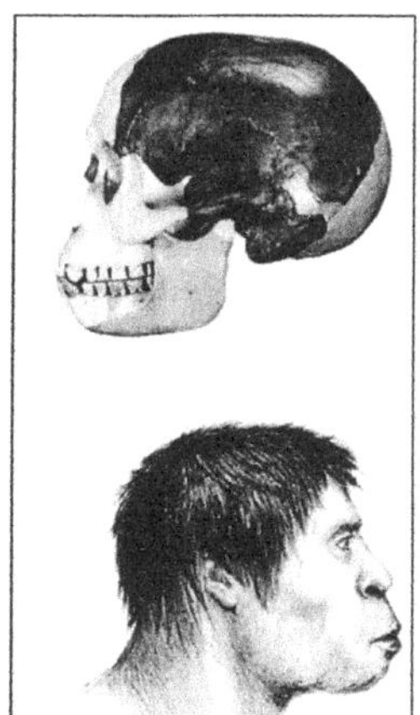

3) 1922년 서부 네브래스카에서 이빨 하나가 발견되었다. 미국 콜롬비아 대

학 교수였던 오스본 박사는 이 "이빨" 하나를 근거로 "네브래스카인"을 만들어 냈고 인류의 진화의 증거로 제시했다. 당시 이빨 하나를 토대로 가상 모델을 그려낸 미술가도 한몫 거들었다. 참으로 대단한 믿음 아닌가! 이것은 "대학교수"라고 하는 자의 머리에서 나온 발상이었다. 하나님께서는 지혜 있는 자들의 지혜를 멸하시고 총명한 자들의 명철을 없애시는 분이다(고전 1:19). 그로부터 6년 뒤인 1928년에 이 이빨은 원숭이도, 인간도, 원숭이 인간도 아닌 "돼지"의 이빨임이 판명되었다.

4) 1924년 남아프리카에서 레이몬드 다트 박사에 의해 "오스트랄로피테쿠스" 화석이 발견되었는데, 발견 당시만 해도 인류학자들은 "인간으로 진화되는 과정에 있는 생물"이라고, 또한 "백만 년에서 사백만 년 전 고대 종족에서 나온 것"이라고 떠들어 댔었다. 그러나 결국 이것은 "원숭이"였음이 드러났다. 실제로 "오스트랄로"란 말은 "남쪽"이고, "피테쿠스"는 "원숭이"란 뜻이다("남쪽 원숭이").

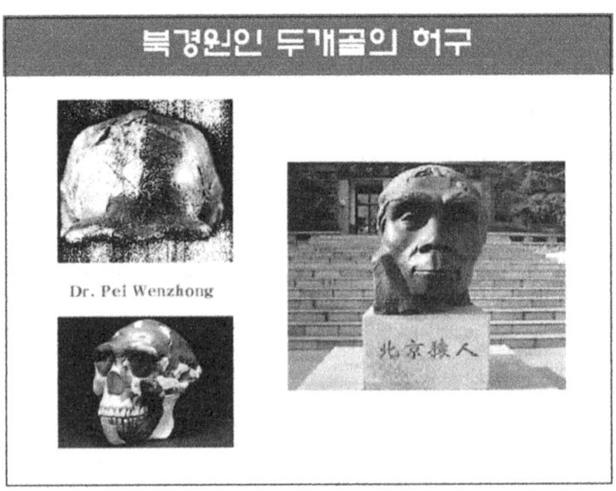

5) 1927년 데이비슨 블랙은 중국의 북경 근처에서 이빨 하나와 두개골을 발견함으로써 일약 스타가 되었다. 이것으로 "북경원인"이 만들어졌다. 그가 죽은 뒤 예수회 소속의 샤르뎅

이 이 발굴 작업에 착수했는데, 그는 같은 장소에서 함께 발견된 현대인의 유골에 대해서는 은폐시켰고, 나중에 가서야 북경원인의 유골이 "큰 원숭이"의 것임을 실토했다.

6) **소위 현대인의 조상이라고 알려진 "네안데르탈인"과 "크로마뇽인"의 뼈도 잃어버린 연결고리를 이어주는 "원숭이 인간"이 아니라 "정상적인 사람"의 뼈라는 것이 밝혀졌다**. 네안데르탈인에 대해서는 다윈의 옹호자였던 토마스 H. 헉슬리조차 그것이 사람의 뼈이며 진화를 증명하지 않는다고 말했다. 말하자면 오늘날 시내 중심가로 나가면 수많은 네안데르탈인과 크로마뇽인이 활보하고 있는 것을 볼 수 있는 것이다.

7) 그 외에도 돌고래의 늑골이나 악어 대퇴골 또는 말의 발가락이 사람의 쇄골로 둔갑하기도 했고, 당나귀의 뼈가 사람의 뼈인 것처럼 거짓 주장이 나오기도 했다.

■ 새롭게 깨달았거나 적용할 내용이 있다면 적어 보세요 ■

제3과
복습문제

1. (　　)은 "자아의식"이다. 그것은 각 개인의 생명 또는 "지식, 감정, 의지"를 가진 그 사람의 "인격" 자체를 나타낸다.

2. (　　)은 영교, 직관, 양심의 기능을 한다.

3. 인간의 영은 죽은 뒤에 하나님께로 다시 돌아간다. (O , X)

4. 인간의 진화를 입증할 수 있는 충분한 근거가 있기 때문에 진화론자들의 주장은 어느 정도 설득력이 있다. (O , X)

5. 하나님께서는 최초의 인류인 아담에게 땅을 다스리라고 명령하시면서 "기독교 문화"로 세상을 정복하라는 "문화 명령"도 함께 주셨다(창 1:28-31).

6. 『그리하여 하나님께서 자신의 (　　　)대로 사람을 창조하셨으니, 곧 하나님의 (　　　)대로 그를 창조하셨으며 그들을 남자와 여자로 창조하셨느니라』(창 1:27).

■ 복습 문제의 정답은 홈페이지(www.solomonbtc.org)에서 확인할 수 있습니다.

NOTES

NOTES

제4과
에덴동산의 위치는 어디인가?(2장)

『또 **주** 하나님께서 에덴의 동편에 동산을 세우시고 그가 지으신 그 사람을 그곳에 두시며』(창 2:8).

하나님의 안식(1-3절)

1. 하늘들과 땅과 하늘들의 군상들이 완성되었으며, 하나님께서는 자신의 모든 일로부터 일곱째 날에 쉬셨다(1,2절).

1) 창세기 2:2은 하나님께서 『**만드시던 자신의 일을 끝내시고 자신이 만드시던 자신의 모든 일로부터**』 쉬셨다고 기록하고 있다.

➡ **이것은 창조의 사역을 끝내셨다는 개념이지 피곤해서 쉼을 가지셨다는 말이 아니다**. 일(사역)의 반대 개념이 "쉼"일 뿐이며, 위 구절은 일이 모두 끝나고 없는 것을 쉬셨다고 표현한 것이다. 따라서 이 말씀은 "창조를 완성하셨기에 창조의 능력이 하나님께로부터 표출되는 것이 끝났음"을 뜻하는 것이다.

2) 출애굽기 31:17에 따르면 『**이는 엿새 동안에 주께서 하늘과 땅을 지으시고 일곱째 날에는 쉬시어 숨을 돌리셨음이라.**』라고 말씀하는데, "숨을 돌리셨다"는 것은 창조를 위해 하나님의 능력이 더 이상 발휘되지 않았음을 뜻한다.

➡ 말하자면 말씀으로(말씀과 함께 숨이 나가는 것으로 생각할 것) 창조하신 하나님의 능력이 창조를 끝내셨기에 더 이상 발휘될 필요가 없었으며, 이것을 마치 "일하고 난 뒤에 숨을 고르는" 것처럼 숨을 돌리셨다고 표현하신 것이다.

2. 하나님께서는 창조하시고 지으신 모든 일로부터 쉬신 일곱째 날을 복 주시고 거룩하게 하셨다(3절).

1) 『**일곱째 날**』(3절)에는 앞서 여섯 번이나 반복된 "저녁과 아침"이란 표현이 빠져 있다.

➡ 말하자면 일곱째 날은 그날 자체로 끝이 없다. 왜냐하면 이날은 일곱 번째 천 년의 기간을 예표하기 때문이다(계 20:1-6). <u>이 일곱 번째 천 년은 곧바로 "영원 세계"와 연결되기 때문에 "끝이 없는" 것이다(계 20:9,10)</u>.

창조의 내력(4-7절)

1. 창세기 2:4-7은 1장의 창조 기사에 관한 매우 구체적인 기록이다.

➡ 창세기 2:4-6은 여섯째 날에 인간을 창조하시기 이전의 상황이다.

1) 5절은 창세기 1:11의 명령에 따라 땅이 초목과 채소를 "내기" 이전의 상황이다. 1:11에서는 주님께서 『**땅은... 내라.**』라고 하셨고, 2:5에서는 아직 땅이 "내지" 않은 것이다. 이유는 땅에 아직 비를 주시지 않았고 경작할 사람이 없었기 때문이다. 식물은 "땅에" 있었지만, 인간이 창조되기 전까지는 자라지 않았다.

2) 6절은 인간을 창조하시기 이전의 기상 조건을 설명하고 있고, 7절은 인간을 창조하셨다는 내용이다(1:26,27). 인간을 창조하신 뒤에는 『**또 주 하나님께서 에덴의 동편에 동산을 세우시고 그가 지으신 그 사람을 그곳에 두시며 주 하나님께서 보기에 즐겁고 양식으로 좋은 모든 나무를 그 땅에서**

자라게 하시니, 동산 가운데에는 생명 나무와 선과 악의 지식의 나무도 있더라』(2:8,9).

2. 7절은 창조된 인간의 "삼중 구조"를 보여 준다.

『**주** 하나님께서 땅의 흙으로 사람을 지으시고 그의 콧구멍에다 생명의 호흡을 불어넣으시니, 사람이 살아 있는 혼이 되었더라』(7절).

1) 인간의 "몸"은 흙으로 만들어졌다.

2) 인간의 "영"은 주 하나님께서 사람의 코를 통하여 불어 넣으셨다.

3) **『사람이 살아 있는 혼이 되었더라.』** "혼"은 "흙"과 "생명의 호흡"(영)이 결합되어 나왔다. 이것은 몸과 영 사이에 있는 인간의 한 부분이며, 이 둘의 매개체로서 활동한다.

에덴의 위치(8-14절)

1. 하나님께서는 에덴의 동편에 동산을 세우시고, 그곳에 그분이 지으신 사람을 두셨다(8절).

2. 주 하나님께서 보기에도 즐겁고, 양식으로도 좋은 모든 나무를 그

땅에서 자라게 하셨고, 동산 가운데에는 생명 나무와 선과 악의 지식의 나무도 두셨다(9절).

3. 『에덴의 동편에 동산을 세우시고』(8절).

1) **에덴은 그 동쪽에 동산이 세워진 거대한 지역의 이름이다**. 에덴의 위치는 다음과 같이 파악할 수 있다.

(1) 창세기 13:10 - 에덴을 이집트 땅에 비유하고 있다. 여기서 말하고 있는 지역은 사해 남쪽 소돔이다.

(2) 아모스 1:5 - "에덴의 집"(house of Eden)이 시리아의 다마스커스 근처에 위치해 있다.

(3) 이사야 51:3 - 예루살렘에 있는 시온을 에덴과 같다고 말한다.

(4) 열왕기하 19:12 - 에덴을 텔라사르 근처로 잡는다. 이곳은 아브라함이 우르를 떠난 후 지나온 지역인 고산 하란 지역이다.

2) **성경과 성경을 비교해 본 결과에 따르면, "에덴"은 "아라랏산"이 꼭짓점이고, 밑변이 "나일강"으로부터 "정동쪽," 즉 페르시아만의 윗부분에 해당하는 "우르"까지 이르는 정삼각형 모양의 땅으로서 한 변이 1,600km 정도 된다**. 유프라테스 상류인 하란 근처에서부터 내려와 나일강 하구까지 이르고, 사우디아라비아와 쿠웨이트, 보스라 등을 지나 유프라테스강 하구로 가서, 다시 강을 따라 위로 올라가는 그 전체 지역인 것이다.

3) 창세기 15장에 따르면 에덴은 아브라함에게 주신 땅과 같은 지역이다. 이곳은 또한 천년왕국 때 이스라엘 백성에게 속하게 될 땅이다(겔 44-48장, 시 89:25, 삼하 8:3, 왕상 4:20-25).

4) 이 땅은 일반 역사에서 "비옥한 초승달 지대"로 알려져 있다. **<u>성경에 따르면 인간의 역사는 이 지역에서 시작되었고, 인류의 역사는 이 지역에서 종말을 맞이할 것이다</u>**. 즉 인간의 역사는 창세기 2장에서 말하고 있는 "그곳"에서 시작되었고, 요한계시록 20장에서 지적하고 있는 "그곳"에서 끝날 것이다.

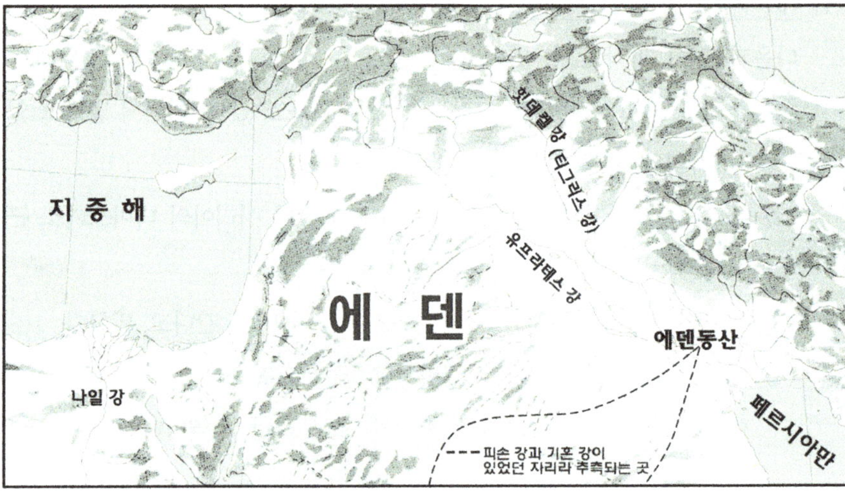

▲ 에덴의 대략적인 위치

4. 아담이 살던 에덴동산의 위치는 어디인가?

1) 아담이 살던 에덴동산의 위치는 창세기 2:10-14에 제시되어 있다.

『강이 에덴에서 흘러 나가 그 동산을 적시고 그곳으로부터 갈라져서 네 원천이 되었으니, 첫 번째의 이름은 피손인데 금이 있는 하윌라의 온 땅을 둘렀으며 그 땅의 금은 좋고, 그곳에는 델리엄과 얼룩마노도 있더라. 두 번째 강의 이름은 기혼인데, 에

> 디오피아의 온 땅을 둘렀더라. 세 번째 강의 이름은 힛데겔이라. 그것은 앗시리아 동편으로 흐르더라. 네 번째 강은 유프라테스더라』(10-14절).

2) 에덴동산은 네 강이 갈라져 나온 페르시아만 끝에 있었다.

➠ 이곳은 아브라함이 떠나온 "칼데아 우르," 곧 페르시아만 끝에 있는 그곳이다.

3) 위 구절에 제시된 네 개의 강 중에서 두 강, 곧 "유프라테스"와 "힛데겔"(티그리스)은 오늘날에도 그 강줄기가 보존되어 있으므로 쉽게 확인할 수 있다.

➠ 성경에서 "힛데겔"은 페르시아에 있는 강으로 언급되기에(단 10:1,4 - **『페르시아 왕 코레스의 제삼년에 벨트사살이라 이름하는 다니엘에게 한 일이 계시되었으니... 첫째 달 이십사일에 내가 힛데겔이라 하는 큰 강변에 있었는데』**), 그 강은 옛 페르시아 영토에 속한 이란 가까이에서 흐르는 티그리스강이라는 사실을 알 수 있다. 현재 티그리스와 유프라테스는 이라크 영토 내에 있으며, 이 가운데 티그리스가 이란을 동북 편에 두고서 흐르고 있다.

4) 나머지 두 강은 "기혼"과 "피손"인데, 이 강들의 예전 흐름은 미국의 부시 대통령이 제1차 쿠웨이트 침공 전쟁을 치렀을 당시 항공 사진사들에 의해 밝혀졌다.

➠ 성경에 따르면 그중 하나는 에덴의 서남쪽에 있는 에디오피아의 온 땅으로 흘러 들어갔고, 또 하나는 그 강보다 서쪽으로, 즉 중앙 아라비아의 서남쪽으로 흘러갔다.

에덴의 언약(15-17절)

1. 주 하나님께서 아담을 에덴의 동산에 두시고 그것을 관리하고 지키게 하셨다(15절).

2. 하나님께서 아담과 에덴의 언약을 맺으셨다(16,17절).

『**주 하나님**께서 그 사람에게 명령하여 말씀하시기를 "동산의 모든 나무에서 나는 것을 네가 마음대로 먹을 수 있으나 선과 악의 지식의 나무에서 나는 것은 먹지 말라. 네가 거기서 나는 것을 먹는 날에는 반드시 죽으리라." 하시니라』(16,17절).

1) 에덴의 언약은 조건적인 언약이다.

➠ "구원"은 선과 악의 지식의 나무에서 나는 것을 먹지 않아야 하는 행위에 기초한다.

2) 에덴의 언약에는 믿음이 포함되어 있지 않다.

➠ 왜냐하면 아담은 매일 하나님을 보고 그분과 함께 걸으며 함께 이야기했기 때문이다. 아담은 보는 것으로 행했다. 그는 믿음으로 행하고 보는 것으로 하지 않는(고후 5:7) 신약의 그리스도인들과 달랐다.

3) 금지된 열매를 먹은 결과는 죽음의 형벌이었다.

➠ 아담의 몸이 죽은 것은 930세 때였다(창 5:5). 따라서 아담이 그 열매를 『먹는 날』 죽은 것은(17절) 그의 "영"이었다(엡 2:1).

3. 금지된 선과 악의 지식의 나무는 초자연적인 "포도나무"였다.

❶ 포도는 나무이다(겔 15장).
❷ 포도는 금지된 열매이다(민 6:1-6).
❸ 포도는 성경에서 늘 피의 예표이다(신 32:14, 마 26:26-28).
❹ 피는 성경 전체에서 먹지 못하도록 되어 있다(창 9장, 레 17장, 행 15장).
❺ 포도나무는 벌거벗음과 관련이 있다(노아와 아담).
❻ 포도나무는 술 취함과 관련이 있다(롯과 벤하닷).
❼ 벌거벗음과 술 취함은 항상 함께한다(애 4:21, 합 2:15).
❽ 포도나무는 뱀처럼 감아 올라가는데, 팔레스타인 지역에서는 땅 위로 감겨 있다.

성의 기원과 최초의 부부(18-25절)

1. 하나님께서 남자가 혼자 있는 것이 좋지 않으니 돕는 자를 지을 것이라고 하신 후, 들의 짐승과 새들을 데려와 아담에게 이름을 짓게 하셨다(18,19절).

1) 아내는 남편을 돕는 자이다.

(1) 만일 돕는 여자가 말다툼을 잘하는 여인이거나(잠 21:9) 화를 잘 내고 다투기를 잘하는 여인(잠 21:19), 혹은 어리석은 여인이라면(잠 14:1), "돕기"보다는 많은 문제를 일으키게 될 것이다.

(2) **『신중한 아내는 주께로부터 받느니라』**(잠 19:14). **『아내를 얻는 자는 좋은 것을 얻는 것이요』**(잠 18:22).

2) 솔로몬은 다음과 같은 선택을 하라고 권면한다.

『다투고 성내는 여자와 함께 사는 것보다 광야에서 사는 것이 더 나으니라』(잠 21:19). 『다투는 여자와 함께 넓은 집에서 사는 것보다 지붕의 한 모퉁이에서 사는 것이 더 나으니라』(잠 25:24).

2. 아담이 자기를 위한 돕는 자를 찾지 못하자, 하나님께서 그를 깊은 잠에 빠지게 하신 후 그의 갈비뼈 중 하나를 취하여 그것으로 여자를 만드시고 아담에게로 데려오셨다(20-22절).

1) 영국의 내과 의사였던 제임스 심프슨(James Simpson) 경은 창세기 2:21을 읽고서 기도하고 묵상한 후에 "클로로포름"으로 최초의 마취 수술을 할 수 있었다.

2) 하나님께서 취하신 아담의 갈비뼈는 다섯 번째 갈비뼈이다(삼하 2:23; 4:6; 20:10). 아담의 죽음과 신부인 이브의 창조는, 예수 그리스도의 죽으심과 신부인 교회의 탄생을 예표한다(요 13:23, 계 4:1,2, 엡 5장).

(1) 다섯은 죽음의 수이다(5:5).

(2) 이브는 아담의 죽음의 원인이며, 그녀는 하나의 갈비뼈이다.

(3) 성경에서 숫자가 언급된 갈비뼈는 다섯 번째 갈비뼈뿐이다.

(4) 예수 그리스도 역시 아담의 옆구리가 열렸던 것처럼 그 옆구리가 창

에 찔리셨었다.

(5) 요한은 교회의 예표인데(계 4:1,2), 그는 최후의 만찬 때 예수 그리스도의 품(옆구리 부근)에 기대어 있었다(요 13:23).

(6) "예수 그리스도"와 "그리스도의 몸"(교회)의 관계는 아담과 이브의 관계와 같다(고전 15:22,45, 엡 5:25,29-32).

3. 아담은 여자를 보고서 『이는 이제 내 뼈들 중의 뼈요, 내 살 중의 살이니, 그녀를 여자라 부르리라. 이는 그녀가 남자에게서 취해졌음이라.』(23절)라고 했다.

➠ 예수 그리스도와 교회의 관계를 예표한다. 『**이는 우리가 그의 몸과 그의 살과 그의 뼈의 지체임이라**』(엡 5:30).

4. 하나님께서는 최초의 부부에게 한 몸이 될 것을 명령하셨다.

『그러므로 남자가 자기 아버지와 자기 어머니를 떠나서 자기 아내와 결합하리니, 그들이 한 몸이 될 것임이니라』(24절).

➠ 예수 그리스도와 교회의 관계를 예표한다. 『**이런 까닭에 남자가 자기 아버지와 어머니를 떠나 자기 아내와 결합하여 그 둘이서 한 몸이 될지니라. 이것은 위대한 신비라. 그러나 나는 그리스도와 그 교회에 관하여 말하노라**』(엡 5:31,32).

5. 최초의 부부는 둘 다 벌거벗었지만 부끄러워하지 않았다(25절).

제4과 복습문제

1. 하나님께서 일곱째 날에 쉬신 것은 피곤하셔서 쉬셨다는 의미가 아니라 창조의 사역을 더 이상 하시지 않았다는 뜻이다. (O , X)

2. 땅은 채소와 과실수를 내라 하셨는데(창 1:11) 아직 내지 않은 것은(창 2:5), 하나님께서 땅에 아직 (　　　)를 주시지 않았고, 경작할 (　　　　)이 없었기 때문이다.

3. 에덴은 창세기 15장에서 (　　　　　　　)에게 주신 땅과 같다.

4. 에덴의 언약은 (믿음 , 행위)에 근거한다.

5. 금지된 선과 악의 지식의 나무는 (　　　　　)나무이다.

6. 아담과 이브의 관계는 그리스도와 (　　　　　)의 관계를 예표한다.

7. 『그러므로 남자가 자기 아버지와 자기 어머니를 떠나서 자기 아내와 결합하리니, 그들이 한 (　　　)이 될 것임이니라』(창 2:24).

■ 복습 문제의 정답은 홈페이지(www.solomonbtc.org)에서 확인할 수 있습니다.

NOTES

NOTES

제5과

죄는 어떻게 시작되었는가?(3장)

『내가 너와 여자 사이에, 또 네 씨와 그녀의 씨 사이에 적의를 두리니, 그녀의 씨는 너의 머리를 부술 것이요, 너는 그의 발꿈치를 부술 것이라』(창 3:15).

지상에서의 죄의 기원 - 말씀 변개(1-6절)

1. 들의 어떤 짐승들보다도 더욱 간교한 뱀이 다음과 같이 질문한다.

『참으로 하나님께서 말씀하시기를 '너희는 동산의 모든 나무에서 나는 것을 먹지 말라.' 하시더냐?』(1절)

1) <u>**사탄이 이 지구상에서 제일 처음 내뱉은 말은 "참으로"(Yea)였다.**</u>

➠ 사탄은 "긍정적 사고방식"으로 이브에게 접근했다. 사탄은 긍정적 사고방식으로 인류의 멸망을 유도했고, 이브가 행동을 취했을 때 인류의 멸망이 시작되었다.

2) <u>**뱀은 질문을 통해 하나님의 말씀에 대한 "의심"을 불러일으켰다.**</u>

➠ 하나님의 말씀인 성경을 의심하고 성경에 의문을 제기하는 모든 근원은 사탄에게 있다.

3) <u>**이브에게 나타난 사탄을 "뱀"(Serpent)이라고 부른 것은 요한계시록 12:9에 따르면 정확한 호칭이다.**</u>

➠ **『그리하여 그 큰 용이 쫓겨나니 그는 마귀라고도 하고 사탄이라고도 하는 옛 뱀, 곧 온 세상을 미혹하던 자라. 그가 땅으로 쫓겨나고 그의 천사들도 그와 함께 쫓겨나더라』**(계 12:9).

4) 뱀은 이브에게 나타날 때 "빛의 전달자"(Lux-fero! Lucifer)로 나타난 것임이 틀림없다(고후 11:14).

2. 뱀의 질문에 대한 이브의 답변에서 최초의 말씀 변개가 일어났다.

■ 하나님의 명령 : 『**주** 하나님께서 그 사람에게 명령하여 말씀하시기를 "동산의 모든 나무에서 나는 것을 네가 마음대로 먹을 수 있으나 선과 악의 지식의 나무에서 나는 것은 먹지 말라. 네가 거기서 나는 것을 먹는 날에는 반드시 죽으리라." 하시니라』(2:16,17).

■ 최초의 성경 변개 : 『여자가 그 뱀에게 말하기를 "우리가 동산 나무들의 열매는 먹을 수 있으나, 동산 가운데 있는 나무의 열매에 관해서는, 하나님께서 말씀하시기를 '너희는 그것을 먹지도 말고 만지지도 말라. 혹 죽을까 함이라.' 하셨느니라." 하더라』(3:2,3).

1) 이브는 말씀을 변개시켰다.

➠ ❶ 『**마음대로**』를 삭제했고, ❷ 『**만지지도 말라.**』라는 말을 첨가했으며, ❸ 『**혹 죽을까 함이라.**』라는 말로 대체함으로써 하나님의 명령의 의미를 약화시켰다. **이처럼 성경 변개는 "삭제"와 "첨가"와 "대체를 통한 의미 약화"를 통해 일어난다.**

2) 지구상에서 벌어진 최초의 범죄는 선과 악의 지식의 나무의 열매를 따 먹은 것이 아니었다.

➠ **이 땅 위에서 벌어진 첫 번째 죄는 한 여인에 의해 범해졌는데, 그것은 성경 개정자들의 죄와 같은 것이었다. 즉 하나님의 말씀을 변개시킨 것이다.**

3. 뱀은 이브의 답변을 듣고 "부분적인 진리"로 이브를 유혹했다.

『그 뱀이 여자에게 말하기를 "너희가 반드시 죽지는 아니하리라. 너희가 그것을 먹는 날에는 너희의 눈이 열리고 너희가 신들과 같이 되어서, 선과 악을 알게 되는 줄을 하나님께서 아심이라." 하더라』(4,5절).

➠ **<u>뱀은 거짓 교사들처럼 부분적인 진리로 이브를 유혹했다</u>**. 즉 그들은 눈이 열렸고(7절), 선과 악을 알게 되었다(22절). 하지만 "신들과 같이" 되지는 못했다. 그 "신들"은 시편 82:1-7; 86:8; 97:7; 136:2, 욥기 38:7, 고린도전서 8:5 등에서 발견된다.

4. 이브는 결국 나무를 보았고, 나무의 열매는 이브에게 "긍정적으로" 다가왔다.

1) 하나님께서는 "금지"(부정적)를 말씀하셨지만, 이브는 금지하신 것을 긍정적으로 본 것이다. 부정적인 것을 긍정적으로 봤을 때 결국 "먹었고" 또한 죽고 말았다.

『여자가 보니 그 나무가 <u>먹음직하고 보기에도 즐겁고 현명하게 할 만큼 탐스러운</u> 나무인지라, 그녀가 거기에서 그 열매를 따서 먹고 그녀와 함께한 자기 남편에게도 주니, 그가 먹더라』(6절).

2) 세상에 있는 모든 것은 긍정적이다(요일 2:16).

➠ 6절의 말씀을 요한일서 2:16의 말씀과 비교해 보면, ❶ **『먹음직하고』**는 "육신의 정욕"에, ❷ **『보기에도 즐겁고』**는 "안목의 정욕"에, ❸ 『현

명하게 할 만큼 탐스러운』은 "생의 자랑"에 연결된다.

5. 아담이 이브가 준 열매를 먹었을 때 아담은 뱀에게 속지 않았다.

『또 아담이 속은 것이 아니라, 여자가 속아 범죄하였음이라』(딤전 2:14).

➡ 아담은 이브가 속고 있을 때 없었다. 아담은 이브가 나무 열매를 먹으라고 주었을 때 그녀의 불순종이 일으킨 결과를 보았다(입술이 붉고 얼굴이 핑크빛을 띠며 몸의 색깔도 예전과 같지 않았음). 따라서 그는 이브가 범죄한 사실을 알고서도 그 열매를 먹은 것이다(엡 5:28,29). 아담은 이브를 위해 죽을 수 있을 만큼 그녀를 사랑했다. 그래서 열매를 먹었다.

눈이 열리고 벌거벗은 것을 알다(7-13절)

1. 열매를 먹은 아담과 이브는 눈이 둘 다 열려 자기들이 벌거벗은 줄 알고 무화과나무 잎을 엮어 자기들의 치마를 만들었다(7절).

1) 무화과나무 잎으로 치마를 만든 것은 "자기 의"를 상징한다.

2) "자기 의"는 거룩함이나 의의 결핍을 스스로 가리려고 하는 세상 종교들과 모든 인간적인 사상들에서 나타난다.

➡ 무화과나무는 예수님께서 저주하신 유일한 나무인데(마 21:19), 이것

은 "종교"를 예표한다. 초림 때 유대교를 신봉하던 이스라엘처럼 "열매 없이 잎만 무성한" 종교를 저주하신 것이다.

3) 인간이 만든 종교와 철학들은 죄인들이 자기 의를 고집하고 하나님의 의를 피할 수 있는 길을 제시하기 위한 것들이다.

➠ 하나님의 의는 자기 자신의 노력 대신에 하나님께서 갈보리 십자가에서 이룩하신 "피의 속죄"(cf. 3:21)를 신뢰하는 사람들에게 주어진다 (롬 5:1-8, 행 20:28, 골 1:14).

2. 동산에서 들리는 하나님의 음성에 아담과 그의 아내가 주님의 면전에서 피하자 하나님께서 아담에게 "네가 어디 있느냐?"라고 물으셨다(8,9절).

1) 성경에 나오는 하나님의 첫 번째 질문은 인간을 향한 것이었다. 이 질문은 피조물을 찾으시는 창조주의 모습을 보여 준다. 인간이 하나님을 찾지 않으므로(롬 3:11) 하나님께서 인간을 찾으시는 것이다.

2) 신약에 나오는 첫 번째 질문은 인간에 의해 행해졌다. 『**유대인의 왕으로 태어나신 분이 어디 계신가?**』(마 2:2) 말하자면 하나님께서 인간을 찾아오셨으므로 인간은 그분을 찾아 만나야만 하는 것이다. 지금 이 시대는 인간이 하나님이신 예수 그리스도를 찾아야 할 때이다.

3. 벌거벗어서 숨었다는 아담의 대답에, 먹지 말라고 명령했던 그 나무의 과실을 먹었느냐고 물으시자, 아담은 여자에게, 여자는 뱀에게 책임을 전가했다(10-13절).

➡ 책임은 아담에게서 이브에게로, 이브에게서 뱀에게로 돌려졌다. 심지어 아담은 아내 문제로 인해 하나님께 불평했다. "하나님께서 나와 함께 있도록 주신 그 여자가"라고 말함으로써 하나님을 직접 비방하며 그 책임을 하나님께 전가했던 것이다.

죄에 대한 심판과 아담의 언약(14-21절)

1. 하나님께서는 뱀을 저주하시어 평생토록 배로 기어 다니며 흙을 먹게 하셨고(14절), 또한 그에게 "전쟁"을 선포하셨다(15절).

『내가 너와 여자 사이에, 또 네 씨와 그녀의 씨 사이에 적의를 두리니, 그녀의 씨는 너의 머리를 부술 것이요, 너는 그의 발꿈치를 부술 것이라』(15절).

1) 성경에서 그리스도에 관하여 직접 예언하고 있는 첫 번째 "메시아 관련 구절"이다.

➡ 왜냐하면 어떤 여인도 "씨"를 갖고 있지 않기 때문이다. "그녀의 씨"라는 표현은 "동정녀 탄생"과 관련되어 있다. 예수 그리스도께서는 "남자의 씨를 통해서 오시지 않았고 "동정녀 마리아"를 통해 태어나셨다. 동정녀 탄생에는 남자의 씨가 전혀 개입되지 않았다.

2) 뱀의 씨는 죄의 사람을 가리킨다.

➡ 예수 그리스도께서 여자의 씨였던 것처럼 적그리스도는 뱀의 씨로 등

장할 것이다.

3) <u>뱀은 "여자의 씨"의 발꿈치를 부술 것이다</u>.

➠ 이 구절이 적용될 수 있는 유일한 사건은 "갈보리 십자가"이다. "발꿈치를 부순다."라는 표현은 가장 경미한 손상을 입힌다는 의미이다. 이것은 "머리를 부순다."라는 표현과 대조해 볼 때 더욱 분명해진다.

4) <u>여자의 씨가 뱀의 머리를 부술 것이라는 말씀은 문자 그대로의 사실을 의미한다(롬 16:20)</u>.

➠ 예수 그리스도께서는 장차 재림하실 때 아마겟돈 전쟁에서 사탄의 화신인 적그리스도의 머리를 부숴 버리심으로써 이 예언을 성취하실 것이다(시 7:16; 68:21; 110:6; 140:9, 합 3:13).

2. 본문 16-19절은 하나님께서 인간과 맺으신 두 번째 언약인 "아담의 언약"(Adamic Covenant)이다.

1) 여자가 먼저 책망을 받는다.

➠ 여자는 크게 늘어난 임신과 출산의 고통을 겪고, 남편을 바라면서 남편의 주관을 받게 된다(16절).

2) 아담에게는 그의 지위에 맞는 결과가 주어진다.

(1) 아담으로 인해 땅이 저주를 받는다(17절). [이브 때문이 아니다. 아담이 금지된 열매를 먹지 않았다면, 저주는 이브 한 사람에서 끝났을 것이다.] 땅은 뭔가 잘못되었으며, 아무리 비료를 써도 그 문제는 해결되지 않을 것이다.

(2) 아담은 그의 전 생애 동안 고통 중에서 저주받은 땅의 소산을 먹게 된다(17절). 인간이 먹게 될 모든 것은 땅으로부터 나온다. 가축들도 땅에서 나는 것들을 먹는다.

(3) 땅은 아담에게 가시나무와 엉겅퀴를 낼 것이고, 아담은 들의 채소를 먹을 것이다(18절). 땅은 먹기에 적합하지 않은 것들을 자라게 할 것이다. 땅이 "잡초투성이"의 땅이 되어 경작하지 않으면 풀로 뒤덮여 버리게 된다. 인간은 "과일"뿐만 아니라 "채소들"도 먹게 될 것이다.

(4) 아담은 그가 지음받은 땅으로 돌아갈 때까지 그의 얼굴에 땀을 흘려야 빵을 먹을 수 있게 된다(19절). 인간은 살기 위해 땀을 흘려야 한다. 이 말씀을 어기고 살면, 몸에 독소가 가득 쌓여 죽게 될 것이다.

(5) 아담은 흙이니 죽어서 흙으로 돌아가게 된다(19절). 모든 인간은 결국 땅에 묻히게 될 것이다.

3. 아담은 아내의 이름을 이브라 불렀다. 이는 그녀가 모든 산 자의 어미였기 때문이다(20절).

➠ "이브"라는 이름에는 "생명" 또는 "생명을 주는"이라는 뜻이 있다. 아담이 자기 아내를 이브라고 부른 것은 창세기 4:1 이후였을 것이다. 그때부터 이브는 후손을 낳게 되기 때문이다.

4. 하나님께서 아담과 그의 아내에게 가죽으로 옷들을 만들어 입히셨다(21절).

➠ 가죽옷은 성경에서 가장 중요한 짐승인 "양"의 가죽으로 만들어졌다. 인류의 첫 조상의 죄 때문에 양이 피 흘려 죽임을 당한 것이다. 이 점은 하

나님의 어린양께서 갈보리 십자가에서 인류의 죄를 위해 피 흘려 죽으실 것을 예표한다. 이러한 사실을 고려할 때 아담과 이브는 구원을 받은 것이 분명해진다.

에덴의 동산에서 쫓겨난 아담(22-24절)

1. 하나님께서는 죄를 지은 아담이 생명 나무의 과실을 먹고 영원히 살까 하여 그를 에덴동산에서 내보내시어 그가 취함을 입은 그 땅을 갈게 하셨다(22,23절).

2. 하나님께서는 아담이 생명 나무를 먹지 못하도록 에덴의 동산 동편에 그룹들과 두루 도는 불타는 칼을 놓아 생명 나무의 길을 지키게 하셨다(24절).

➠ 아담이 생명 나무의 열매를 먹었다면 영원히 살 수 있었다. 『**먹는 날에는 반드시 죽으리라.**』(창 2:17)라는 말씀은 몸의 죽음이 아닌 영의 죽음(엡 2:1)을 말씀하신 것이었다. 아담의 몸은 금지된 열매를 먹은 날 죽지 않았고, 이후로도 계속 살아 있었다. 아담의 몸은 창세기 5:5에 가서야 죽게 된다(930세). 그러나 아담이 금지된 열매를 먹은 날에 그는 하나님의 형상을 잃어버렸다. 이후로 그가 낳은 자녀들은 아담 자신의 형상을 따라(창 5:3) 영이 죽은 채로 태어나게 된다. "하나님의 형상"이신 예수 그리스도께서는 인류가 잃어버린 바로 그 "하나님의 형상"을 회복시켜 주셨다(요 3:5,6, 엡 2:1).

제5과
복습문제

1. 땅에서 최초로 범해진 죄는 (　　　　　) 변개였다.

2. 뱀에게 속은 것은 (　　　　　)였다.

3. 무화과나무 잎은 (　　　　　　　　)를 상징한다.

4. 성경에 등장하는 최초의 "메시아" 관련 구절은 창세기 (　　　)장 (　　　)절 이다.

5. 아담이 금지된 열매를 먹은 날 죽은 것은 그의 (　　　　)이었다.

6. 여자의 씨는 "동정녀 탄생"과 무관하다. (O , X)

7. 『내가 너와 여자 사이에, 또 네 씨와 그녀의 씨 사이에 적의를 두리니, 그녀의 씨는 너의 (　　　　　)를 부술 것이요, 너는 그의 (　　　　　　　)를 부술 것이라』(창 3:15).

■ 복습 문제의 정답은 홈페이지(www.solomonbtc.org)에서 확인할 수 있습니다.

NOTES

NOTES

NOTES

제6과

인간의 종교와 문명의 기원(4,5장)

『네가 바르게 행하면 받아들여지지 않겠느냐? 네가 바르게 행하지 아니하면 죄가 문 앞에 엎드리느니라. 죄의 욕망이 네게 있으니, 너는 죄를 다스릴지니라." 하시니라』 (창 4:7).

카인과 아벨의 "이중 임신"(4:1,2)

1. 성경에는 카인에 이어 아벨이 추가로 임신되었다는 기록이 없다.

1) 성경은 단지 『**아담이 자기 아내 이브를 알았더니 그녀가 임신하여 카인을 낳고... 그녀가 또 카인의 아우 아벨을 낳았는데**』(1,2절)라고 기록하고 있을 뿐이다.

2) 다른 아버지를 통해 일주일이나 한 달 간격으로 임신될 수 있다는 것은 의학계의 정설이다. 말하자면 카인이 이브의 뱃속에 이미 잉태된 상태에서 아담이 이브를 알아 아벨을 임신했던 것이다. "카인"은 이브와 "빛의 천사"(고후 11:14)로 나타난 뱀 사이에서 모종의 성적 결합을 통해 태어난 인물일 가능성이 높다.

3) 카인은 "악한 자로부터 나온 자"(요일 3:12)이기에 뱀의 씨이며, 그의 생애와 성품의 모든 요소가 마지막 때의 "죄의 사람"(살후 2:3)과 일치하고 있다.

(1) 카인과 적그리스도는 둘 다 뱀의 "씨"이다("멸망의 아들", 살후 2장).

(2) 카인과 적그리스도는 둘 다 표를 갖고 있어서 그들을 식별해 낼 수 있다(4:15, 계 13:13-18).

(3) 카인과 적그리스도는 둘 다 살인자이며 거짓말쟁이이다(4:9, 요 8:44).

(4) 카인과 적그리스도는 둘 다 저주를 받았다(4:11,12, 시 119:21).

2. 아벨은 양 치는 자로 자랐고, 카인은 경작하는 자로 자랐다(2절).

카인의 종교와 아벨의 종교(4:3-7)

1. 시간이 흐른 후에 카인은 "저주받은 것"(땅, 3:17)으로 일했고, 그 저주받은 것에서 나는 열매로 주님께 제물을 드렸다(3절).

➠ 카인은 아벨보다 더 종교적인 사람으로서, "인류 최초로" 하나님께 제물을 드렸다.

2. 아벨은 자기 양떼에서 첫배 새끼들과 그 살진 것을 가져와 제물로 드렸다. 주님께서는 아벨의 제물은 받으셨지만 카인의 제물은 받지 않으셨다. 그러자 카인은 몹시 격노하여 안색이 변했다(4,5절).

3. 주님께서는 격노하여 안색이 변한 카인을 책망하시면서(6절), 그가 바르게 행하면 받아들여질 것이고, 바르게 행하지 아니하면 죄가 문 앞에 엎드린다고 경고하셨다.

『죄의 욕망이 네게 있으니, 너는 죄를 다스릴지니라』(7절).

1) 세상에는 많은 종교가 있지만, 성경의 관점에서 보면 단지 두 종교만 존재한다. 하나는 "아벨의 종교"이고, 다른 하나는 "카인의 종교"이다.

2) 아벨은 하나님께 경배를 드리는 올바른 방법을 알고 있었다(3:21). 그러나 카인은 하나님께서 계시하신 사실을 무시했다.

(1) 아벨은 자신의 부모를 덮어 주었던 어린양의 가죽을(3:21) 통해 자신이 "덮는 것"(즉 "속죄")을 위해 무엇을 드려야 할지 잘 알고 있었다.
(2) 아벨은 아는 대로 실행했다. 아벨은 짐승의 피를 가지고 하나님께 나아갔고, 카인은 육신의 수고의 열매를 가지고 나아갔는데, 전자는 받아들여졌고 후자는 거부당한 것이다. **왜냐하면 아벨의 종교에는 "피 흘림"이 있었지만, 카인의 종교에는 피가 없었기 때문이다.**
(3) "성경대로 믿는 기독교 신앙"(아벨의 종교)과 "세상 종교들"(카인의 종교) 간의 차이점은, 예수 그리스도의 피를 통해 하나님께 나아가느냐 그렇지 않으냐에 있다. 하나님께서는 "피"로 드린 제사만을 받으시는데, 이는 피 흘림이 없이는 죄 사함이 없고(히 9:22) 육체의 생명은 피에 있기 때문이다(레 17:11). 생명은 생명으로 대속해야만 하나님께 나아갈 수 있는 것이다.

4. 7절에서 성경 최초로 "죄"라는 단어가 등장한다. 마치 더러운 짐승이 장막 문에 엎드려 있는 것처럼 묘사된다.

『네가 바르게 행하지 아니하면 죄가 문 앞에 엎드리느니라』(7절).

➡ 카인은 실제적인 문제를 갖고 있었는데, 그것은 다름 아닌 죄 문제였다.

■ 새롭게 깨달았거나 적용할 내용이 있다면 적어 보세요. ■

성경 최초의 살인과 카인의 표(4:8-17)

1. 동생 아벨을 들에서 죽인(8절) 카인은 아우 아벨이 어디 있느냐는 주님의 질문에 "모르나이다. 내가 내 아우를 지키는 자니이까?"라고 감히 반문하면서 거짓말했다(9절).

2. 주님께서는 네 아우의 핏소리가 땅에서부터 주님께 부르짖는다면서 카인의 살인 행위를 알고 계심을 천명하셨고(10절), 땅이 카인의 손으로부터 아우 아벨의 피를 받았으니 카인이 땅으로부터 저주를 받을 것이라고 말씀하셨다(11절).

1) 『**네가 땅을 경작하여도 이제부터는 네게 그 효력을 내지 않을 것이요**』(12절). 카인은 오늘날의 함족처럼 결코 농사꾼으로서 성공할 수 없었다. 그가 땅을 갈고 쟁기질하고 경작을 해도 땅은 효력을 내지 않았을 것이기 때문이다.

2) 『**너는 땅에서 도피자와 유랑자가 되리라**』(12절).

➠ 이 구절은 "형제 아벨"(예수 그리스도의 예표)을 죽인 카인이 예표하는 "유대인의 역사"를 보여 준다. 예수 그리스도의 형제들은 유대인들이다(마 25:40; 28:10). 유대인들은 그들의 형제인 예수 그리스도를 죽인 뒤로 도피와 유랑의 역사를 보내야 했다. 교회 시대 2천 년 동안의 역사가 그 점을 증명한다. 카인과 마찬가지로 유대인들은 경작하는 사람들이었지만, "형제"를 살해한 뒤로는 "도시 사람들"이 되었다(창 4:17).

3. 주님께서는 자신에게 주어진 벌이 너무 크고 도피자와 유랑자가 되면 만나는 자마다 자신을 죽일 것이라고 하소연하는 카인에게(13,14절), 카인을 죽인 자는 앙갚음을 칠 배로 받을 것이라고 하시면서 카인에게 "표"를 하여 그를 만나는 어떤 사람도 그를 죽이지 못하게 하셨다(15절).

1) 적그리스도가 표를 갖고 있듯이 카인도 표를 갖고 있다. 그래서 카인은 적그리스도를 예표한다.

2) 카인이 하나님으로부터 받은 표는 검은 피부색이었을 것이다. 그렇기에 사람들이 쉽게 알아볼 수 있었을 것이다. 적그리스도 역시 사람들이 쉽게 알아볼 수 있는 표를 갖고 등장할 것이다.

3) 카인이 하나님께로부터 받은 표가 검은 표였다는 사실은 그가 "짐승"의 예표란 점에서 충분히 유추할 수 있다.

"짐승"은 표범이며, 표범은 검은 점을 갖고 있기 때문이다(계 13:2). 표범이 이 검은 표를 쉽사리 없앨 수 없고 흑인 역시 검은색 피부를 쉽사리 바꿀 수 없다는 것은, 악을 행하는 자가 선을 행하는 것만큼 어려운 일이라고 성경은 말씀한다. 『에디오피아인이 그의 피부를 바꿀 수 있으며 표범이 그의 점들을 바꿀 수 있겠느냐? 그렇다면 악을 행하는 데 익숙한 너희도 선을 행할 수 있으리라』(렘 13:23).

4) 카인은 처음에 농부였지만 땅으로부터 저주를 받았고(11절), 땅을 경작하

<u>여도 그 효력을 내지 못하여 땅에서 도피자와 유랑자가 되었다(12절)</u>. 이 지구상에서 "흑인"이 농사에 성공한 사례가 많지 않다.

5) <u>카인은 유랑자가 되었기 때문에 도시로 가서 살았다(17절)</u>. 오늘날 미국에서는 흑인들 대부분이 도시에 몰려 있다. 그들은 "땅"에서 먹을 것을 얻지 못하는 인종인 것이다.

4. 이후로 카인은 최초의 도시 건설자가 되었다(16,17절).

카인을 따르는 후대(4:18-24)

1. 카인 이후로, 에녹 ➡ 이랏 ➡ 므후야엘 ➡ 므두사엘 ➡ 라멕의 계보가 이어진다(18절).

2. 라멕(성경 최초의 일부다처주의자)이 두 아내 아다와 실라를 통해 낳은 후손들이 문명을 건설했다(19-22절).

1) 아다를 통해 낳은 후손들

➡ 야발은 장막에 거하는 자들과 가축을 기르는 자들의 조상이 되었고, 유발은 하프(현악기)와 오르간(관악기)을 다루는 자들의 조상이 되었다.

2) 실라를 통해 낳은 후손들

➡ 투발카인은 놋과 철로 모든 것을 만드는 자들의 선생이 되었고, 나아

마는 두발가인의 누이였다.

3. 라멕의 노래(23,24절)

『라멕이 아내들에게 말하기를 "아다와 실라여, 내 음성을 들으라. 너희 라멕의 아내들이여, 내 말에 경청하라. 나의 상처 때문에 내가 사람을 죽였고, 나의 상함 때문에 청년을 죽였도다. 카인이 일곱 배로 앙갚음을 받는다면 진실로 라멕은 일흔일곱 배로다." 하였더라』(23,24절).

➠ **라멕이 부른 노래는 "자기방어"를 주장한 내용이다. 즉 어떤 청년이 그에게 상처를 입혔기에 그 청년을 죽였다는 것이며, 자기는 정당방어였기 때문에 의도적 살인자인 카인보다 더 보호를 받아야 할 상황이라는 것이다.**

우리는 카인의 계보에서 일어난 일들에 주목해야 한다.

1. 그들은 도시 사람들이 되었다. 도시는 범죄의 온상이다.
2. 그들은 목축업을 했다(20절). 야발의 자손들은 농지를 떠나 가축을 길렀다.
3. 그들은 두 가지 주요 악기들을 만들었다(21절). 그것들은 관악기와 현악기였는데, 욥에 따르면 이러한 것들이 하나님께서 홍수로 그들을 쓸어버린 이유가 되었다(욥 21:12-15; 22:15-18).
4. 카인의 또 다른 자손은 놋과 철로 금속을 만들었는데(22절), 그래서 하나님께서는 노아의 방주를 만듦에 있어서 이 두 재료를 사용하지 말라고 하셨다. 또한 성막 내부(성소)에 있는 어떤 기구도 놋과 철을 사용하지 못하게 하셨다.

아담이 셋을 낳다(4:25,26)

1. 아담은 그의 아내를 다시 알아 아들을 낳고 그의 이름을 셋이라 불렀다. 이에 그의 아내는 『이는 하나님께서 카인이 죽인 아벨을 대신하여 내게 또 다른 씨를 정하셨음이라.』(25절)라고 했다.

2. 셋도 아들을 낳아 에노스라 불렀으며, 그때부터 사람들이 "주의 이름"을 부르기 시작했다(26절).

아담의 계보(5:1-32)

1. 『이것이... 세대들에 관한 책이라.』(1절)라는 표현은 성경에서 단 두 번 등장한다. "세대"라는 말을 다룰 때 "책"이란 단어가 들어가 있는 경우는 구약의 아담의 계보와 신약의 예수 그리스도의 계보뿐이다.

➠ 성경에는 인류의 두 가지 기원을 보여 주는 두 가지 계보가 나오는데, 하나는 창세기 5장의 "첫째 아담의 계보"이고, 나머지 하나는 마태복음 1장의 "예수 그리스도(마지막 아담, 고전 15:45)의 계보"이다.

2. 아담의 계보는 아담에서 시작하여(1절) 노아까지(32절) 제시되는데, 아담의 계보의 특징은 에녹을 제외하고(24절) 사람마다 『그가 죽으니라.』라는 말씀이 (세 구절마다 한 번씩 - 5,8,11,14,17,20,27,31절)

언급된다. 최초의 언급은 5절이며 숫자 "5"는 성경에서 "죽음"을 의미한다.

3. 마지막 아담이신 예수 그리스도의 계보에는 사람들의 죽음이 언급되지 않는데, 이는 그분께서 인류에게 아담이 잃어버린 하나님의 형상을(1,3절) 회복하시고 생명을 주러 오신 분이기 때문이다(고전 15:22,45).

4. 첫째 아담의 후손들은 영이 죽은 아담의 형상대로(3절) 태어나기 때문에 그들 모두 허물과 죄들 가운데서 영이 죽어 있다(엡 2:1-5).

이 문제를 해결하러 오신 마지막 아담께서는 그들이 모두 물과 성령으로 거듭나야만 하나님의 나라에 들어갈 수 있다고 말씀하셨는데(요 3:1-8), 이것은 물로 육신이 태어난 뒤에는 성령으로 영이 태어나야 한다는 사실을 의미한다. 예수 그리스도를 믿고 영이 거듭나는 새로운 출생을 경험해야만 교회 시대에는 눈에 보이지 않는 하나님의 나라에 들어갈 수 있고(요 3:5), 그 뒤에는 영적인 하나님의 나라가 물리적인 천국과 하나가 되는 천년왕국에 들어가 실로 의와 화평과 기쁨의 하나님의 나라가(롬 14:17) 눈에 보이게 임한 모습을 보게 될 것이다(요 3:3, cf. 합 2:14, 사 11:9; 35장).

■ 새롭게 깨달았거나 적용할 내용이 있다면 적어 보세요. ■

관심을 가져야 할 두 인물, 에녹과 노아

1. 에녹과 노아는 "교회의 휴거"와 "대환란"을 보여 주는 중요한 인물들이다.

2. 에녹은 그의 아들의 이름을 므두셀라로 지었다.

1) 『므두셀라』는 히브리어로 "그가 죽으면 그것이 보내질 것이다."라는 의미이다. "그것"은 노아의 홍수 때의 "장대비"를 가리킨다. 따라서 에녹이 므두셀라가 태어난 후 "하나님과 동행한 것"은 전혀 이상할 것이 없다. 아마도 주님께서 에녹에게 그 아이의 이름을 그렇게 지으라고 가르쳐 주셨을 것이다.

2) 에녹은 다가오는 대홍수의 심판을 내다보면서 자기가 사는 시대로부터 성별하여 하나님을 기쁘시게 하는 삶만을 살았다. 그런 에녹을 하나님께서는 "산 채"로 휴거시키셨다(24절). 따라서 에녹은 교회의 휴거 때 살아서 공중으로 들림받게 될(요 11:26, 살전 4:17) 그리스도인들을 예표하는 인물인 것이다.

3. 노아에게서는 셈과 함과 야벳이 태어났고, 이들이 오늘날의 세 인종의 조상이 되었다(32절).

➠ 세 인종의 계보에 대해서는 창세기 10장에 자세히 나오고, 창세기 5장에서는 그들의 기원이 셈, 함, 야벳이라는 것만 제시된다. 이들의 출생 순서를 보면, "형 야벳"(10:21)이 장자이고, "셈"이 둘째이며, "함"이 막내이다

(9:23,24).

1) 라멕은 아들의 이름을 "노아," 곧 "안식" 혹은 "위로"란 뜻의 이름으로 지었다. 『**이 아이는 주께서 저주하셨던 땅으로 인한 우리의 일과 우리의 손의 노고에 관하여 우리를 위로할 것이라**』(29절).

2) 노아의 부모는 그들 당시의 모든 찬란한 문명을 모두 부정적인 시각에서 바라본 것이다. 그들은 세상에 있는 모든 것들에 대해 비관적이었다(요일 2:15,16). 당시에 군림하던 "하나님의 아들들," 곧 타락한 "천사들"과도 타협하지 않았다(6:2). 아마도 아들인 노아의 때에 하나님께로부터 안식과 위로가 있기를 바랐던 것 같다. 하나님께서는 노아의 홍수를 통해 죄의 세상을 쓸어버림으로써 죄로 신음하던 세상에 안식을 주신 것이다.

3) 예수 그리스도께서는 마태복음 24장의 『**대환란**』(21절) 문맥에서 "노아의 날들"에 대해 언급하셨다.

『그러나 노아의 날들과 같이 인자의 오는 것도 그러하리라. 홍수 전의 날들에 그들이 먹고 마시며, 장가가고 시집가고 하기를, 노아가 방주로 들어가던 날까지 하다가 홍수가 나서 그들을 모두 다 쓸어버릴 때까지 그들이 알지 못하였던 것같이, 인자의 오는 것도 그러하리라』(마 24:37-39).

4) 위의 구절은 『**노아의 날들**』을 『**인자의 오는 것**』, 곧 "재림"과 연결시킨다. 따라서 "노아의 대홍수"는 재림 전에 있을 『**야곱의 고난의 때**』(렘 30:7)라 불리는 대환란을 예표하며, 노아와 그 의 가족은 대환란 때에 "믿는 남은

자," 곧 "환란 성도"를 예표하게 된다. 노아의 가족이 대홍수를 통과하며 보존되었듯이, 이스라엘의 남은 자들도 대환란을 통과하며 보존될 것이다(계 7장 - 144,000명). **대홍수 전에 "휴거"된 "에녹"(교회의 휴거)과 달리, 지상에 남겨졌으나 대홍수 심판 동안 보호받은 "노아"는 "교회의 휴거" 이후 땅에 남아 하나님의 보호를 받으며 환란을 통과하는 "유대인 환란 성도들"을 예표하는 것이다.**

■ 새롭게 깨달았거나 적용할 내용이 있다면 적어 보세요. ■

제6과
복습문제

1. 카인은 "악한 자로부터 나온 자"(요일 3:12)이기에 뱀의 씨이며, 그의 생애와 성품의 모든 요소가 마지막 때의 ( )(살후 2:3)과 일치하고 있다.

2. 성경의 관점에서 보면 세상에는 단지 두 종교만 있다. 하나는 "( )의 종교"이고 다른 하나는 "( )의 종교"이다.

3. 카인이 하나님으로부터 받은 표는 사람들이 쉽게 알아볼 수 있는 ( ) 피부색이었다.

4. 성경에는 인류의 두 가지 기원을 보여 주는 두 가지 계보가 나오는데, 하나는 구약의 ( )의 계보이고, 또 하나는 신약의 ( )의 계보이다.

5. ( )은 신약에서 죽지 않고 휴거되는 거듭난 그리스도인들을 예표하고, ( )는 대환란을 통과하며 하나님께 보호받는 환란 성도들을 예표한다.

■ 복습 문제의 정답은 홈페이지(www.solomonbtc.org)에서 확인할 수 있습니다.

NOTES

NOTES

NOTES

< 추 천 도 서 >

창세기 I

피터 S. 럭크만 지음 / 582쪽

25,000원(eBook 8,900원))

본서는 하늘들과 땅, 인간, 죄, 구속, 인종, 언약들의 기원 및 예수 그리스도와 적 그리스도의 예표 등을 보여 준다.

과학으로 본 진화론의 허구

벤스 페럴 지음 / 688쪽

28,000원(eBook 19,900원))

수천 가지 과학적 사실들을 통해 진화론의 모든 영역을 반증한다. 1,350가지 과학적 인용문들과 참고 도서들이 제시된다.

진화론자 친구들에게

토마스 하인즈 지음 / 256쪽 / 7,000원

수십억 년 전에 "원시 유기물 스프"에서 생명체가 형성될 수 있었을까? 본서는 과학적 사실들이 어떻게 생명의 근원이신 창조주에 대해 증거하고 있는지 알려 준다.

신구약을 관통하는 성경지도

편집부 지음 / 112쪽 / 15,000원

이 책 한 권으로 성경의 지리들을 이해함과 동시에, 구약과 신약에 있어서 개론적으로 알아야 할 모든 것들을 이해할 수 있게 된다.

솔로몬 성경공부 시리즈

창 세 기

제1권 창조와 인간의 타락(1-5장)

초판1쇄　2021년 1월 29일
초판4쇄　2021년 8월 13일
지 은 이 / 편 집 부
발 행 인 / 이 송 오
발 행 처 / 말씀보존학회
출판등록 / 1988. 12. 12. 제16-223호
주　　소 / 서울 강서우체국 사서함 제90호
전　　화 / (02) 2665 - 3743
팩　　스 / (02) 2665 - 3302
인 터 넷 / www.biblemaster.co.kr

값 10,000 원